© Groupe Polygone Éditeurs Inc. 1987
Tous droits réservés. Conçue et fabriquée au Québec.

Dépôt légal 1er trimestre 1987
Bibliothèque nationale du Québec
ISBN-2-920675-29-X

La Grande Collection Micro-Ondes

Index

Grolier Limitée

MONTRÉAL, QUÉ.

Introduction

Pour trouver rapidement les informations que vous cherchez

Avec ses 25 livres de recettes. La Grande Collection Micro-Ondes constitue une véritable mine d'informations sur tous les aspects de l'art culinaire adapté à la technologie des micro-ondes.

Pour en faciliter la consultation, le contenu de chaque volume est organisé thématiquement.

C'est ainsi que, par exemple, si vous avez un morceau d'orignal à préparer, vous n'aurez qu'à consulter l'index du livre ayant pour titre «Le Gibier». Par contre, si vous désirez préparer un plat spécial mais n'en avez pas une idée précise, vous voudrez peut-être parcourir l'ensemble des 25 livres sans pour autant être astreint à les consulter tous, un par un.

Voilà pourquoi nous avons préparé cet **Index Général**.

En fait, il s'agit de trois index en un.

Vous y trouverez d'abord un index alphabétique (pages 25 à 69) dans lequel sont listés toutes les recettes et les rubriques des 25 livres. Cet index vous sera surtout utile si vous connaissez déjà le nom de la recette que vous désirez préparer ou encore si, par exemple, vous cherchez des renseignements d'ordre technique (sur la cuisson, la décongélation, etc.). Plus volumineux que les autres, cet index deviendra tout probablement votre principal instrument de recherche.

Nous avons aussi prévu un index thématique (pages 71 à 98). Celui-là classe les recettes et les informations en fonction des divers thèmes traités dans la Collection. Par exemple, sous la rubrique «Bœuf», vous trouverez la liste de toutes les recettes ayant pour base la viande de bœuf. Pratique et de consultation rapide, l'Index Thématique saura guidé vos recherches en fonction de vos besoins, quels qu'ils soient.

Nous avons choisi, en dernier lieu, de vous présenter un index alphabétique des nombreux «**TRUCS MO**» (pages 99 à 109) que recèle la Grande Collection. Vous avez ainsi sous la main un véritable recueil de conseils pratiques qui vous aideront soit à assurer le succès de vos préparations, soit à leur donner une touche personnelle ou inusitée.

Nous sommes convaincus que, à l'aide de ces trois index, vous pourrez tirer profit de l'immense somme d'informations que représente La Grande Collection Micro-Ondes.

Table des matières

Introduction 4

Niveaux de puissance 6

Table de conversion 7

Le four à micro-ondes et ses caractéristiques 8

Les accessoires de la cuisine aux micro-ondes 10

Les ustensiles de mesure et de traitement 14

Les ustensiles de cuisson et de réchauffage 18

Les grands plats 20

Index alphabétique 25

Index thématique 71

Index des trucs micro-ondes 99

La Grande Collection Micro-Ondes se veut une encyclopédie complète de l'art culinaire adapté à la cuisson au four à micro-ondes. Pour la première fois, les ménages québécois pourront consulter un ouvrage exhaustif, consacré à la cuisson micro-ondes, entièrement conçu et réalisé au Québec.

Chacun des vingt-six tomes se concentre sur un thème précis, ce qui en facilite la consultation. Ainsi, par exemple, si vous cherchez des idées pour apprêter une volaille, vous n'aurez qu'à vous référer à l'un des deux livres consacrés à cette question. Il est à noter que chaque livre s'accompagne de son index et que le dernier ouvrage de la Grande Collection présente un index général de l'ensemble.

Facile à consulter, la Grande Collection Micro-Ondes, qui offre plus de mille deux cents recettes, saura devenir un outil culinaire aussi utile et indispensable que votre four à micro-ondes.
Bonne lecture et, surtout, bon appétit !

Niveaux de puissance

Toutes les recettes de ce livre ont été testées dans un four de 700 W. Comme il existe un grand nombre de fours à micro-ondes dans le commerce, avec des niveaux de puissance différents, et que les appellations de ces niveaux varient d'un fabricant à l'autre, nous avons préféré donner des pourcentages. Pour adapter les niveaux de puissance donnés, consultez le tableau ci-contre et le livret d'utilisation afférent à votre four.

Ainsi, si vous possédez un four de 500 W ou de 600 W, vous devrez majorer les temps de cuisson mentionnés d'environ 30 %. Précisons que plus la durée de cuisson est brève, plus la majoration peut être importante en termes de pourcentage. Le chiffre de 30 % ne représente donc qu'une moyenne. Consultez le tableau ci-contre pour vous aider à ce chapitre.

Tableau d'intensité

FORT - HIGH : 100 % - 90 %	Légumes (sauf pommes de terre bouilies et carottes) Soupes Sauces Fruits Coloration de la viande hachée Plat à rôtir Maïs soufflé
MOYEN - FORT - MEDIUM HIGH : 80 % - 70 %	Décongélation rapide de mets déjà cuits Muffins Quelques gâteaux Hot dogs
MOYEN - MEDIUM : 60 % - 50 %	Cuisson des viandes tendres Gâteaux Poissons Fruits de mer Oeufs Réchauffage des aliments Pommes de terre bouillies et carottes
MOYEN - DOUX - MEDIUM LOW : 40 %	Cuisson de viandes moins tendres Mijotage Fonte du chocolat
DÉCONGÉLATION - DEFROST : 30 % DOUX - LOW : 20 % - 30 %	Décongélation Mijotage Cuisson de viandes moins tendres
MAINTIEN - WARM : 10 %	Maintien au chaud Levage de la pâte à pain

700 W	600 W*
5 s	11 s
15 s	20 s
30 s	40 s
45 s	1 min
1 min	1 min 20 s
2 min	2 min 40 s
3 min	4 min
4 min	5 min 20 s
5 min	6 min 40 s
6 min	8 min
7 min	9 min 20 s
8 min	10 min 40 s
9 min	12 min
10 min	13 min 30 s
20 min	26 min 40 s
30 min	40 min
40 min	53 min 40 s
50 min	66 min 40 s
1 h	1 h 20 min

* Il y a peu de différence entre les durées applicables aux fours de 500 watts et ceux de 600 watts.

Table de conversion

Table de conversion des principales mesures utilisées en cuisine	Mesures liquides	Mesures de poids
	1 c. à thé . . . . 5 ml	2,2 lb . . . . . . .1 kg (1 000 g)
	1 c. à soupe . . . . .15 ml	1,1 lb . . . . .500 g
		0,5 lb . . . . .225 g
	1 pinte. . .(4 tasses). . .1 litre	0,25 lb . . . . .115 g
	1 chopine .(2 tasses) .500 ml	1 oz . . . . .30 g
	1 tasse . . . . .250 ml	
	1/2 tasse . . . . .125 ml	
	1/4 de tasse . . . . .50 ml	

Équivalence métrique des températures de cuisson		
	49°C . . . . .120°F	120°C . . . . .250°F
	54°C . . . . .130°F	135°C . . . . .275°F
	60°C . . . . .140°F	150°C . . . . .300°F
	66°C . . . . .150°F	160°C . . . . .325°F
	71°C . . . . .160°F	180°C . . . . .350°F
	77°C . . . . .170°F	190°C . . . . .375°F
	82°C . . . . .180°F	200°C . . . . .400°F
	93°C . . . . .190°F	220°C . . . . .425°F
	107°C . . . . .200°F	230°C . . . . .450°F

Les lecteurs noteront que, dans les recettes, nous convertissons 250 ml en 1 tasse ou encore 450 g en 1 lb. Cela s'explique par le fait qu'en cuisine, il est peu pratique de donner des conversions arithmétiques justes. En effet, les instruments de mesure ne permettent pas d'obtenir des quantités aussi précises mais peu commodes que 454 g (1 lb), par exemple. Nous devons donc utiliser des équivalences approximatives, ce qui peut donner lieu à certaines contradictions arithmétiques. Par contre, du fait que les quantités sont toujours exprimées dans les deux systèmes de mesure (métrique et impérial), cette façon de procéder ne devrait poser aucune difficulté.

Les symboles

Légende des pictogrammes

Dans le but de faciliter la lecture des fiches signalétiques des recettes, nous avons prévu des pictogrammes indiquant le niveau de complexité et le coût.

Le symbole vous rappelle d'inscrire votre temps de cuisson dans l'espace prévu à cette fin.

Complexité

préparation facile

difficulté moyenne

préparation pouvant comporter certaines difficultés

Coût par portion

$ économique

$ $ coût moyen

$ $ $ coût élevé

Le four à micro-ondes et ses caractéristiques

Le four à micro-ondes n'est pas une invention aussi récente qu'on le croit généralement. C'est à la fin des années 40, en effet, que des recherches américaines sur le radar ont débouché sur la mise à l'essai de prototypes de four à micro-ondes et les premiers appareils destinés à un usage domestique sont apparus vers 1955.

Peu à peu, le four à micro-ondes s'est fait connaître pour la rapidité avec laquelle il cuit les aliments. Sa popularité grandissante a suscité de nombreuses questions, tant sur son efficacité réelle que sur la salubrité de l'énergie particulière qu'il utilise, qui ont mené à des études poussées sur le sujet. Les experts ont pu établir que l'utilisation normale d'un four à micro-ondes ne représente aucun danger. Au contraire, la cuisson rapide que permet ce type de four préserve, mieux que ne le fait la cuisinière traditionnelle, les valeurs nutritives des aliments. À la lumière de ces résultats encourageants, la méfiance du grand public a fini par se dissiper et le four à micro-ondes a connu la popularité qu'il méritait.

Mais qu'en est-il, au juste, de ces micro-ondes dont on a tant parlé? Il s'agit d'ondes courtes, semblables aux ondes radio qui nous environnent quotidiennement, mais dont le rayonnement est extrêmement limité comparé à celui des ondes radio. Tout comme celles-ci, les micro-ondes traversent certains matériaux sans les affecter. Ainsi, la porcelaine, le verre, certains plastiques, le papier et le carton peuvent tous être traversés par les micro-ondes sans que leur température n'augmente.

Par contre, les micro-ondes agitent très rapidement les molécules d'eau, de gras et de sucre dont sont composés presque tous les aliments. En exerçant sur ces molécules une force électromagnétique qui passe du positif au négatif suivant un cycle de 2,45 MHz, elles les font pivoter sur elles-mêmes presque deux milliards et demi de fois à la seconde. Agitées à cette vitesse phénoménale et se frottant vigoureusement les unes aux autres, les molécules produisent bientôt une chaleur suffisante pour cuire rapidement n'importe quel aliment. Cette production de chaleur est semblable à celle qui résulte de la friction de nos mains l'une contre l'autre, mais elle est beaucoup plus intense. Autrement dit, ce sont les aliments qui produisent la chaleur nécessaire à leur propre cuisson.

Si on peut comparer les micro-ondes aux ondes radio, on doit cependant les distinguer des ondes d'un autre type, comme les rayons X et les rayons ultra-violets, qui comportent certains dangers pour l'organisme humain. Ces ondes particulières ont un effet ionisant qui produit des changements chimiques irréversibles sur les cellules vivantes sans en modifier la température de façon perceptible. Leur effet sur les cellules vivantes est cumulatif. Les micro-ondes, au contraire, ne s'emmagasinent nulle part et sont nettement perçues par notre organisme comme une chaleur vive. Ainsi, on peut être assuré qu'on ne mange jamais de micro-ondes en consommant les aliments cuits grâce à leur action, même si on dit couramment que les aliments *absorbent* les micro-ondes.

Les micro-ondes se propagent dans le four d'une façon particulière; elles réchauffent d'abord les aliments qui se trouvent en périphérie des plats, et cette chaleur se propage progressivement aux aliments placés au centre. Il faut préciser que les micro-ondes réchauffent très rapidement les molécules qui constituent les os et les jus de viande, de volaille, etc. Nous expliquerons plus loin l'importance de ces caractéristiques dans le choix des récipients de cuisson et la disposition des aliments dans le four.

Contrairement à la cuisinière traditionnelle, l'appareil à micro-ondes ne réchauffe que les aliments. Les parois

du four, la grille (plusieurs fours sont équipés d'une grille de plastique) et même les récipients dans lesquels on dépose les aliments ne sont pas affectés par les micro-ondes. Quand les récipients sont chauds au sortir du four, c'est que la chaleur interne des aliments s'est lentement communiquée à eux. Cependant, l'air chaud que produit un élément chauffant s'avère indispensable lorsqu'on tient à rôtir certains aliments ou à cuire certaines préparations comme les pâtes feuilletées. C'est pourquoi on trouve maintenant sur le marché des fours qui combinent la cuisson aux micro-ondes et la cuisson par convection. Ces appareils sont munis d'un magnétron, qui génère les micro-ondes, et d'un élément chauffant, qui émet une chaleur poussée uniformément sur les aliments par un ventilateur. L'alternance de ces deux modes de préparation donne une cuisson toujours parfaite en un rien de temps.

Les accessoires de la cuisine aux micro-ondes

La grille du four à micro-ondes

Certains modèles de fours à micro-ondes sont munis d'une grille amovible. Cet accessoire remplit deux fonctions principales. D'une part, il favorise une cuisson plus uniforme et plus rapide de certaines préparations en laissant les micro-ondes atteindre les aliments par-dessous. En effet, la grille des four à micro-ondes est faite d'un plastique qui laisse aisément passer les micro-ondes ; elles peuvent donc traverser les aliments dans toutes les directions avec un maximum d'efficacité. D'autre part, il augmente la capacité du four en permettant de superposer les plats mis à réchauffer. Ainsi, pour réchauffer plusieurs plats en même temps, on placera sur la sole du four les aliments qui se réchauffent plus rapidement, et sur la grille les aliments qui se réchauffent plus lentement. Il faut cependant préciser que plus la quantité d'aliments est grande, plus le temps de réchauffage augmente.

Le thermomètre

On connaît bien l'utilité du thermomètre pour la préparation des bonbons, des recettes à base de lait ou pour la cuisson des grosses volailles ou des rôtis. Par contre, peu de gens savent que le thermomètre peut aussi s'utiliser pour connaître la température d'une soupe

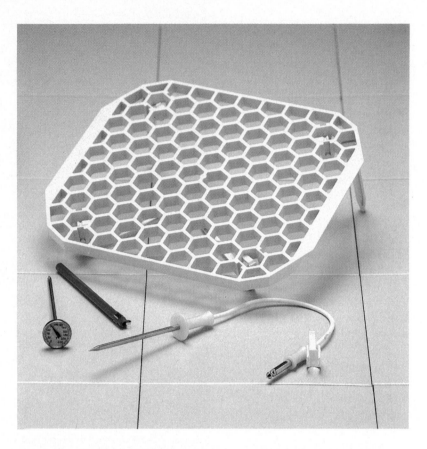

La grille des fours à micro-ondes est généralement faite de plastique. Le thermomètre permet de vérifier le degré de cuisson de plusieurs aliments alors que la sonde thermique interrompt la cuisson quand la température interne des aliments est suffisamment élevée.

ou d'un breuvage chaud. Mais il faut savoir avant tout qu'il existe deux types de thermomètres : ceux qui ne présentent aucun élément métallique, et qui peuvent donc être utilisés à l'intérieur d'un four en marche, et ceux qui sont garnis de métal, et qui ne doivent donc jamais être laissés dans un four en marche parce qu'ils risquent de l'endommager en

réfléchissant les micro-ondes vers le magnétron. Il n'y a aucun risque cependant à utiliser ce dernier type de thermomètre pour vérifier la température interne des aliments au sortir du four.

La sonde thermique

Plusieurs modèles de four à micro-ondes sont munis d'une sonde thermique. Il s'agit d'un appareil qui,

Le papier d'aluminium protège les aliments de la surcuisson et limite leur déperdition de chaleur une fois sortis du four. La pellicule plastique et le papier ciré retiennent la vapeur en accélérant et la cuisson et le réchauffage.

cuisine micro-ondes. C'est le seul article métallique qui fasse bon ménage avec les micro-ondes. Ses propriétés réfléchissantes sont mises à contribution pour protéger, d'une part, les parties des aliments qui risquent d'être surexposées aux micro-ondes lors de la décongélation, de la cuisson ou du réchauffage, et pour limiter, d'autre part, la déperdition de chaleur des aliments qui doivent reposer hors du four.

Utilisé comme un écran, le papier d'aluminium ralentit l'effet des micro-ondes sur les parties les plus vulnérables de certains aliments. On sait que les micro-ondes réchauffent plus rapidement les parties osseuses que la chair des volailles ou des pièces de viande. Ainsi, le bréchet et le bout des cuisses des volailles, de même que la région osseuse des côtes, des côtelettes, des biftecks, des jambons et des gigots auront tendance à décongeler et à cuire plus rapidement que les autres parties. Pour uniformiser leur décongélation ou leur cuisson, on les couvrira de papier d'aluminium avant de mettre la volaille ou la viande au four. Il en va de même des parties plus minces des pièces de viande dont la forme est irrégulière ou des aliments qui, comme les poissons entiers, ont des parties moins charnues (la tête et la queue) qui risquent de dessécher.

comme le thermomètre, mesure la température interne des aliments, à la différence cependant qu'il transmet cette information, à travers un fil, à l'unité de contrôle du four. Ainsi, lorsque le centre des aliments a atteint la température présélectionnée, le four s'arrête automatiquement.

Cet accessoire est très utile, non seulement pour cuire les rôtis et les volailles, mais aussi pour contrôler parfaitement le réchauffage des aliments ou la cuisson des petites pièces de viande, des sandwichs ou des aliments liquides. Pour donner de bons résultats, la sonde doit être enfoncée jusqu'au centre des aliments.

Le papier d'aluminium

Le papier d'aluminium est un accessoire essentiel de la

On couvrira également de papier d'aluminium les arêtes et même les bouts des rôtis, les extrémités des plats contenant les pains de viande et les coins des moules carrés utilisés, par exemple, pour cuire les gâteaux.

Il importe de ne pas utiliser plus de papier d'aluminium que nécessaire afin que la circulation des micro-ondes ne soit pas entravée. De plus, le papier d'aluminium ne devrait jamais être en contact avec les parois du four.

Le papier d'aluminium est aussi utilisé comme isolant pendant la période de repos qui constitue la dernière étape de la cuisson des aliments au four à micro-ondes. On s'en sert pour couvrir les rôtis, les plats en sauce, etc., ou pour envelopper complètement certains aliments comme les pommes de terre en robe des champs. De cette manière, la chaleur interne des aliments continue d'augmenter sans que leurs surfaces ne commencent à refroidir.

Afin d'assurer une cuisson uniforme et, par la même occasion, de prévenir la surcuisson des parties les moins charnues de la volaille, recouvrez les ailerons, le bout des cuisses et la crête du bréchet de papier d'aluminium.

On couvrira de papier d'aluminium les coins des moules carrés utilisés, par exemple, pour cuire les gâteaux.

Le papier d'aluminium est aussi utilisé comme isolant pendant la période de repos qui constitue la dernière étape de la cuisson des aliments au four à micro-ondes.

La pellicule plastique, le papier ciré et le papier essuie-tout

La pellicule plastique est principalement utilisée pour couvrir les aliments qui cuisent dans des récipients sans couvercle : les assiettes, les faitouts, etc. On l'ajuste bien aux bords du récipient tout en laissant un ouverture pour que le surplus de vapeur puisse s'échapper. Comme une partie de la vapeur est emprisonnée, la cuisson des aliments est plus rapide et ceux-ci risquent moins de dessécher.

Le papier ciré est également utilisé pour prévenir la déshydratation des aliments, surtout lors du réchauffage, bien qu'il soit moins efficace que la pellicule plastique. Il sert aussi à protéger l'intérieur du four des éclaboussures.

Les propriétés absorbantes du papier essuie-tout en font l'écran idéal contre les éclaboussures. On s'en sert pour couvrir certains aliments gras, comme le bacon et les saucisses, pendant la cuisson.

La pellicule plastique est utilisée pour couvrir les aliments qui cuisent dans des récipients sans couvercle : les assiettes, les faitouts, etc.

Le papier ciré est utilisé pour prévenir la déshydratation des aliments, surtout lors du réchauffage.

Les propriétés absorbantes du papier essuie-tout en font l'écran idéal contre les éclaboussures.

La minuterie

Bien que le four soit équipé d'une minuterie très précise, la minuterie autonome est un aide-mémoire précieux pour ceux qui entreprennent plusieurs préparations de front, leur rappelant que telle opération doit être effectuée à tel moment, que la période de repos de telle préparation est terminée, etc.

Les mitaines et les poignées

Les micro-ondes ne réchauffent et ne cuisent que les aliments, c'est bien connu. Cependant, les aliments, une fois chauds, communiquent lentement leur chaleur aux récipients. C'est particulièrement vrai des aliments qui séjournent longtemps dans le four, ou des préparations en sauce qui remplissent les récipients plus qu'aux trois quarts. Par conséquent, même si les récipients ne deviennent jamais assez chauds pour provoquer de graves brûlures, il est toujours plus prudent de les manipuler avec des poignées ou des mitaines.

Les ustensiles de mesure et de traitement

L'art culinaire est intimement lié à la chimie des aliments. Aussi de bons ustensiles de mesure sont-ils indispensables à la réussite des recettes. On mesure le volume des ingrédients avec un faitout, une tasse à mesurer ou un jeu de cuillères à mesurer, selon que la quantité désirée est grande, moyenne ou petite. La balance de cuisine devient utile lorsque la quantité d'ingrédient est indiquée au poids.

Voici les principaux ustensiles de traitement dont une cuisine devrait être équipée. Un assortiment de couteaux de bonne qualité et une planche à découper, un couteau-éplucheur, des râpes hérissées d'aspérités et de trous plus ou moins gros, un hachoir, une brosse à légumes et une brosse à champignons, un ensemble de bols à mélanger (encore appelé cul-de-poule), des cuillères de bois, un fouet, un pilon et un mortier. À ces derniers ustensiles, on peut ajouter un batteur à manivelle, une mixette ou un mélangeur électrique, ainsi qu'une passoire de plastique, une passoire à grillage métallique et un tamis.

Dans la cuisine de tous les jours, on a tendance à négliger un peu les opérations qui paraissent trop simples. Pourtant, c'est souvent sur celles-ci que repose la réussite ou l'échec d'une recette.

Parmi ces opérations simples et souvent négligées, la mesure des ingrédients est sans doute la plus importante. Dans ce domaine, on se contente souvent d'un à-peu-près généreux sans toujours se rendre compte de l'incidence que peuvent avoir de très petites variations de quantité sur le goût, la texture ou l'apparence du produit final, en particulier des préparations délicates comme les desserts. Le choix des bons ustensiles de mesure et une mesure précise des ingrédients sont donc de rigueur.

Le faitout, la tasse et les cuillères à mesurer

Pour mesurer les liquides, les produits granulés ou en poudre, on utilise, selon les quantités, le faitout, la tasse ou les cuillères à mesurer. Le meilleur faitout et la meilleure tasse sont fabriqués d'une matière transparente, allant au four, et sont munis d'un bord et d'un bec. Leur transparence permet de vérifier le niveau exact du produit en posant la tasse sur une surface bien droite, à hauteur d'œil. Le bord et le bec empêchent les liquides de renverser. De plus, étant gradués selon deux systèmes de mesure : le système international et le système impérial, on peut faire les recettes établies à partir des anciennes et des nouvelles mesures sans avoir à convertir les quantités d'ingrédients. Pour mesurer avec précision les petites quantités de produits liquides, granulés ou en poudre, un jeu de cuillères à mesurer conforme au système international et un autre, conforme au système de mesure impérial, sont indispensables. Il ne faut jamais remplacer les ustensiles de mesure par des ustensiles de service (cuillère à thé, cuillère à soupe, tasse, etc.) parce que leur contenance varie beaucoup trop d'un fabricant à l'autre.

La balance de cuisine

Dans un grand nombre de livres de cuisine, les livres européens notamment, la quantité des ingrédients comme la farine, le sucre, le beurre, etc., est mesurée au poids non au volume. Par ailleurs, les ingrédients comme la viande, le poisson ou la volaille sont presque toujours mesurés au poids. Par conséquent, une balance de cuisine, assez sensible pour mesurer les petites quantités et graduée conformément aux deux systèmes de mesure, vous rendra d'énormes services.

La planche à découper et les couteaux

Qui n'a pas été témoin de cette scène cocasse où une personne met fébrilement les tiroirs sens dessus dessous à la recherche du couteau qui coupe. Elle illustre très bien l'importance de s'équiper d'un jeu de couteaux de qualité et bien entretenus. Les couteaux comptent parmi les ustensiles de traitement indispensables.

Même pour les opérations les plus élémentaires, l'art culinaire peut difficilement s'exercer avec un seul bon couteau. On ne pèle pas les légumes avec le couteau qui sert à émincer le rôti, pas plus qu'on ne tranche le pain avec celui dont on se sert pour fileter le poisson. De plus, toutes ces opérations pourront être faites sans risque, pour vous et pour les meubles, si les aliments sont posés bien à plat sur une bonne planche à découper.

La brosse à légumes et la brosse à champignons

La plupart des fruits et des légumes ont meilleur goût et une plus grande valeur nutritive lorsqu'ils sont servis avec leur pelure. Pour nettoyer à fond la surface des fruits et des légumes frais (terre, sable, poussière, insecticide), la meilleure méthode (et peut-être la plus ancienne) consiste à les passer longuement sous l'eau froide en les frottant avec une brosse à légumes. Toutefois, pour nettoyer ceux dont la peau est plus fragile, par exemple les courgettes et les poires, il est préférable d'utiliser une brosse à champignons. Ses poils étant plus souples que ceux de la brosse à légumes, on ne risque pas d'égratigner la surface des aliments. Rappelons ici qu'on ne lave jamais les champignons. Leur peau est extrêmement poreuse et absorbante et leur saveur, considérablement amoidrie par un simple rinçage. On doit donc se contenter de les brosser à sec, avec la brosse à champignons. Rappelons également qu'il vaut toujours mieux laver les fruits et les légumes juste avant leur utilisation, sinon ils se conserveront beaucoup moins longtemps.

Le couteau-éplucheur, les râpes et le hachoir

Il est assez difficile de peler certains légumes avec un couteau à lame droite. Peler une carotte un peu difforme, par exemple, ou un gros rutabaga demande beaucoup d'adresse, sauf si on est équipé d'un couteau-éplucheur. Cet ustensile enlève toujours la même épaisseur de pelure et limite énormément les risques de coupure.

Tout équipement de cuisine devrait aussi comprendre quelques râpes de tailles variées ou hérissées d'aspérités et de trous plus ou moins gros. Une râpe à grands trous servira, par exemple, à faire des lamelles de chou ; les râpes à trous moyens et fins seront utilisées pour les légumes ou le fromage alors qu'une petite râpe à trous très fins sera utilisée pour pulvériser les aliments durs comme la muscade.

Le hachoir, pour sa part, n'est pas indispensable si on n'a qu'une petite quantité d'aliments à mettre en pièces. Par contre, il fera gagner beaucoup de temps à ceux qui doivent régulièrement hacher de grosses quantités d'aliments.

16

Les bols à mélanger, le faitout, les cuillères de bois et le fouet

Pour confectionner sans trop de peine un mélange et ne rien renverser en le remuant, il faut toujours utiliser un bol d'une contenance très supérieure à la quantité à préparer. Ainsi, en se procurant un ensemble de bols à mélanger, on disposera toujours de la bonne grandeur de récipient. Comme son nom l'indique, le faitout ne sert pas qu'à mesurer les ingrédients. À cause de sa grande contenance, on peut aussi l'utiliser comme récipient à mélanger.

Les cuillères de bois, à manche plus ou moins long selon la quantité d'ingrédients à mélanger, permettent de remuer fermement les mélanges sans jamais égratigner les bols.

Le fouet est utilisé pour battre les mélanges clairs qui doivent être abondamment oxygénés. Si le mélange est abondant ou s'il doit être battu longtemps, on aurait sûrement avantage à remplacer le fouet par un batteur à œufs, un batteur électrique portatif, voire un mélangeur.

La passoire et le tamis

La passoire sert autant à laver et égoutter les aliments qu'à filtrer les préparations liquides qui ont été cuites. Selon l'usage qu'on veut en faire, on choisira tantôt une passoire perforée, en plastique, tantôt une passoire faite d'un grillage de métal. La première convient mieux pour laver ou passer des fruits acides, car le métal altère facilement le goût de ces denrées. De plus, comme elle peut être laissée dans le four, on obtiendra des viandes hachées beaucoup moins grasses en les faisant cuire dans la passoire, qu'on déposera au fond d'un plat. Par contre, la passoire faite d'un grillage de métal filtrera mieux les préparations liquides et les sauces parce qu'il est facile de les pousser, avec un pilon ou le dos d'une cuillère, à travers le grillage. Enfin, le tamis sert principalement à faire des mélanges homogènes d'ingrédients en poudre (farine, poudre à pâte, sucre, sel, poivre, etc.) et à passer les sauces, les compotes, etc., pour en éliminer les grumeaux ou les parties non comestibles.

Le pilon et le mortier

Ustensiles inséparables qui, en fait, n'en font qu'un, le pilon et le mortier sont indispensables lorsqu'il s'agit d'écraser et de mélanger plusieurs ingrédients ou d'en réduire un seul en poudre (herbes séchées, épices, noix, ail, légumes cuits, fruits, viandes et volailles cuites, fruits de mer, etc. Les utilisations du pilon et du mortier sont beaucoup plus nombreuses qu'on le croit généralement.

Les ustensiles de cuisson et de réchauffage

La fourchette de service et la pince

Pour retourner ou déplacer les aliments, une fourchette de service et une pince sont tout indiquées. La fourchette sert principalement à manipuler les grosses pièces comme les rôtis et les jambons, ou à les tenir fermement lors du découpage. De plus, on peut l'utiliser pour vérifier le degré de cuisson de ces aliments.

Pour sa part, la pince facilite grandement la manipulation du bacon, des saucisses, des côtelettes, etc.

Comme ces ustensiles sont faits de métal, on ne doit jamais les laisser dans le four à micro-ondes.

Les spatules

On utilise une spatule pour décoller et manipuler la plupart des aliments plats. Avec une spatule mince et rigide, on peut facilement retourner ou déplacer les biftecks, les galettes de viande, les œufs, etc., sans les briser. Pour ne pas égratigner le fond des plats de pyrex et de porcelaine, on préférera les spatules de plastique aux spatules de métal. Pour servir les pointes de tarte, de tourte, de pâté, etc., une spatule en pointe est tout indiquée.

Les cuillères et la louche

On doit distinguer les cuillères qui servent à remuer les aliments des cuillères de service. Les premières sont ordinairement étroites, peu profondes et faites d'une matière qui n'égratignera pas les plats, comme le bois ou le plastique. Les secondes sont souvent élégantes et ont une contenance plus grande. La louche est sans aucun doute la cuillère de service la mieux indiquée pour les soupes et les potages.

La poire

La poire est une ustensile aussi simple qu'ingénieux, bien connu des amateurs de rôtis ou de volailles. Ils s'agit d'un gros compte-gouttes qui sert à puiser le jus de cuisson au fond des plats pour ensuite en arroser la pièce à cuire. Cet ustensile est loin d'être un gadget si l'on considère les inconvénients de l'arrosage à la louche ou à la petite cuillère, à savoir le manque d'espace, les risques de brûlure, la perte de temps, etc.

Les grands plats

Les grands plats de cuisson peuvent être rectangulaires, carrés, ronds ou ovales. Ils sont, pour la plupart, faits de pyrex ou de porcelaine et leurs bords sont bas. Comme ils n'ont pas de couvercle, on les couvrira, au besoin, d'une pellicule plastique en prenant soin de laisser un coin découvert pour que la vapeur puisse s'échapper. Hormis les grandes assiettes, ces plats sont munis de deux poignées.

Les plats carrés

Les plats carrés servent surtout à la cuisson des aliments solides comme les biftecks, les galettes de viande hachée, les côtelettes ou les rôtis. On les utilise plus rarement pour cuire les mets en sauce parce que les micro-ondes ont tendance à surcuire les aliments qui se trouvent dans les coins. On peut cependant contourner ce problème en recouvrant chaque coin d'un morceau de papier d'aluminium.

Les plats ronds et ovales

Les plats ronds et les plats ovales sont, sans conteste, les plus polyvalents des ustensiles de cuisson. On peut y cuire tous les types d'aliments, les solides comme les liquides. Parce qu'elle correspond à la répartition des micro-ondes dans le four, leur forme favorise une cuisson uniforme.

La cocotte

La cocotte, un plat à hauts bords muni d'un couvercle, est idéale pour la cuisson à l'étouffée. Elle laisse échapper le surplus de vapeur tout en conservant aux aliments une grande partie de leur humidité. On s'en sert pour cuire les aliments qui se déshydratent facilement et ceux dont la cuisson est lente.

Le plat à rôtir

Le plat à rôtir sert principalement à saisir les aliments dans un corps gras avant leur cuisson au four ou, tout simplement, à les faire rissoler.

Ce plat carré, à bords assez hauts et muni de pattes, est le seul ustensile que les micro-ondes réchauffent. Le fond du plat à rôtir est en effet recouvert d'un enduit spécial, le plus souvent de la ferrite, qui a la propriété de devenir très chaud lorsqu'il est exposé aux micro-ondes. Ainsi, après avoir fait chauffer le plat à rôtir quelques minutes au four, on y fait saisir les aliments, à l'extérieur du four.

Il est très important de ne jamais poser le plat à rôtir sur la grille de plastique du four, car elle fondra.

Le sac à cuisson

Comme la cocotte, le sac à cuisson permet de cuire les aliments à l'étouffée et présente les mêmes avantages. On doit cependant laisser une ouverture dans le sac pour que le surplus de vapeur puisse s'échapper, sans quoi le sac éclaterait, et ne jamais le fermer avec une attache métallique.

Enfin, comme le récipient dans lequel on dépose le sac à cuisson n'est pas sali, on peut y cuire à tour de rôle plusieurs aliments.

Le moule tubulaire (ou moule en couronne)

À cause de sa forme ronde et parce qu'il est percé d'une cheminée en son centre, le moule tubulaire assure une cuisson uniforme et rapide des aliments. On peut aussi s'en servir pour mouler des aliments à congeler. Leur décongélation n'en sera que plus facile, pour les mêmes raisons.

La plaque à bacon

On sait que les micro-ondes réchauffent très rapidement le liquide qui s'écoule des aliments, et particulièrement le jus des viandes. Il importe donc que les aliments ne soient pas en contact avec leur jus lors de leur décongélation ou de leur cuisson, autrement, celles-ci ne seront pas uniformes. La plaque à bacon constitue donc l'ustensile idéal pour décongeler ou cuire les galettes de bœuf haché, les côtelettes, les steaks, les morceaux de poisson et beaucoup d'autres aliments qui laissent écouler du jus en chauffant.
On peut aussi, bien entendu, y faire cuire le bacon !

La clayette

La clayette est une sorte de support qui joue le même rôle que la plaque à bacon. On l'utilise surtout pour cuire ou décongeler les grosses pièces comme les jambons et les rôtis. On la pose ordinairement au fond d'un grand plat afin de recueillir les liquides.

Les moules à gâteau en verre

Le moule à gâteau rond est celui qui donne les meilleurs résultats dans un four à micro-ondes. La pâte des gâteaux y cuit plus également et on peut en vérifier le degré de cuisson en regardant simplement à travers le fond. Quant aux moules carrés, on doit en couvrir les coins de papier d'aluminium pour empêcher que la pâte qui s'y trouve soit surexposée aux micro-ondes.

Le moule à muffins

Ordinairement fait de matière plastique, le moule à muffins conçu pour le four à micro-ondes contient six cavités disposées en cercle.
Contrairement au moule traditionnel, il n'a pas de cavité centrale parce que la portion de pâte qui s'y trouverait cuirait plus lentement que celles qui se trouvent en périphérie.

Les contenants de plastique

On trouve dans le commerce des contenants de plastique de toutes les formes et de toutes les dimensions, qui peuvent être fermés hermétiquement et qui vont au four à micro-ondes. Ces récipients sont donc tout indiqués pour la conservation et la décongélation des aliments (voir la section La Conservation des aliments), de même que pour le réchauffage. Il est toutefois déconseillé de les utiliser pour la cuisson. Enfin, ils sont très pratiques puisqu'ils peuvent passer directement du congélateur au four à micro-ondes, après qu'on ait enlevé le couvercle toutefois, sans quoi la pression de vapeur les fera sauter.

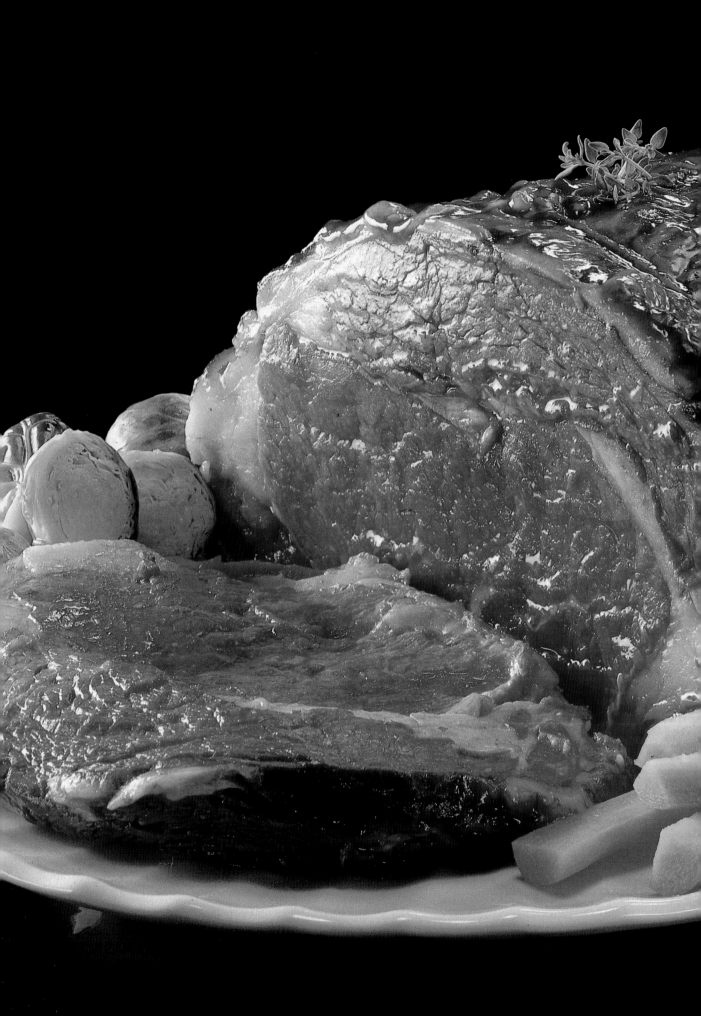

Index
alphabétique

Abats (Farce d'— pour canard)	Vol. 17 p. 57	Ananas (Jambon à l')	Vol. 4 p. 32
Abricot (Biscuits à l')	Vol. 21 p. 98	Ananas (Pouding au citron et à l')	Vol. 9 p. 71
Abricots (Flan aux)	Vol. 10 p. 105	Ananas (Punch à l'— et aux fraises)	Vol. 23 p. 97
Abricots (Poulet aux)	Vol. 19 p. 58	Ananas (Salade d')	Vol. 23 p. 46
Agneau (Boulettes d')	Vol. 10 p. 94	Ananas aux fruits	Vol. 9 p. 58
Agneau (Brochettes d')	Vol. 10 p. 90	Ananas garni	Vol. 22 p. 105
Agneau (Carré d'— en haie d'honneur)	Vol. 10 p. 88	Anchois (Sauce aux)	Vol. 11 p. 42
Agneau (Côtelettes d'— à l'italienne)	Vol. 10 p. 59	Aneth (Sauce à l'— et au concombre)	Vol. 11 p. 18
Agneau (Côtelettes d'— au persil)	Vol. 14 p. 86	Aneth (Sauce au beurre et à l')	Vol. 11 p. 18
Agneau (Côtelettes d'— aux haricots)	Vol. 19 p. 70	Aneth (Saumon, sauce à l')	Vol. 21 p. 80
Agneau (Côtelettes d'— aux pommes)	Vol. 10 p. 78	Anneau au caramel et aux cerises	Vol. 9 p. 32
Agneau (Couronne d'— aux abricots)	Vol. 10 p. 72	Arachides (Poulet aux)	Vol. 18 p. 28
Agneau (Épaule d'— glacée)	Vol. 10 p. 86	Armagnac (Saumon à l')	Vol. 25 p. 34
Agneau (Foie d'— rôti)	Vol. 10 p. 92	Artichauts (Casserole d'— et de	
Agneau (Gigot d'— au romarin)	Vol. 10 p. 74	petits pois)	Vol. 13 p. 83
Agneau (Gigot d'— glacé aux		Artichauts (Crème de concombres et	
canneberges	Vol. 10 p. 76	de fonds d')	Vol. 11 p. 72
Agneau (Jarret d'— l'européenne)	Vol. 10 p. 80	Artichauts (Fonds d'— farcis)	Vol. 15 p. 50
Agneau (Pain de viande à l')	Vol. 22 p. 82	Artichauts (Salade de	
Agneau (Ragoût d')	Vol. 10 p. 96	champignons et d')	Vol. 13 p. 86
Agneau (Ragoût d'— au céleri)	Vol. 10 p. 83	Artichauts farcis	Vol. 13 p. 84
Agneau (Rôti d'— au madère)	Vol. 10 p. 84	Asperges (Crème d')	Vol. 5 p. 100
Agneau (Sandwichs pita		Asperges (Œufs pochés sur mousse d')	Vol. 23 p. 40
aux boulettes d')	Vol. 21 p. 70	Asperges amandine	Vol. 13 p. 90
Agneau à l'anglaise	Vol. 22 p. 78	Asperges en sauce	Vol. 23 p. 30
Agneau à l'orange	Vol. 10 p. 70	Asperges en sauce (Mornay-Béarnaise)	Vol. 15 p. 54
Aiglefin (Filet d'— aux champignons)	Vol. 22 p. 68	Asperges, sauce moutarde	Vol. 4 p. 101
Aiglefin fumé	Vol. 24 p. 56	Aspics délicieux	Vol. 25 p. 22
Aiglefin poché au lait	Vol. 5 p. 61	Assiette de fromages	Vol. 23 p. 41
Ail (Pain à l')	Vol. 22 p. 28	Assiette du capitaine	Vol. 6 p. 104
Ailes de poulet à l'ail	Vol. 2 p. 72	Aubergine (Spaghettini à l')	Vol. 14 p. 96
Amande (Crème à l')	Vol. 3 p. 102	Aubergines (Fondue d'— et de tomates)	Vol. 15 p. 64
Amandes (Crème Chantilly aux)	Vol. 22 p. 96	Aubergines (Ragoût d'— au homard)	Vol. 15 p. 36
Amandes (Petits fours aux)	Vol. 18 p. 88	Aubergines à la crème	Vol. 15 p. 76
Amandes (Riz aux)	Vol. 12 p. 83	Aubergines au parmesan	Vol. 16 p. 72
Amandes (Truites aux)	Vol. 24 p. 22	Avocats aux fruits de mer	Vol. 15 p. 98
Ananas (Brioche à l'— et au miel)	Vol. 9 p. 24	Avocats aux noix	Vol. 15 p. 78
Ananas (Flan aux)	Vol. 9 p. 56	Avocats farcis à la dinde	Vol. 14 p. 50
Ananas (Gâteau à l')	Vol. 3 p. 52	Avoine (Biscuits aux flocons d')	Vol. 19 p. 98

B

Babas au rhum	Vol. 9 p. 74	Blanquette de veau	Vol. 10 p. 52
Bacon (Boeuf au céleri et au)	Vol. 1 p. 54	Blé (Muffins au germe de)	Vol. 21 p. 88
Bacon (Croquettes de dinde au)	Vol. 2 p. 36	Blé entier (Muffins au miel et au)	Vol. 3 p. 43
Bacon (Saucisses et)	Vol. 23 p. 80	Blé entier (Pain de)	Vol. 3 p. 32
Bacon de dos	Vol. 4 p. 84	Blé entier (Pain de — aux bananes)	Vol. 3 p. 34
Bacon en tranches	Vol. 4 p. 84	Bleuets (Confiture de)	Vol. 9 p. 95
Bagatelle aux fraises	Vol. 23 p. 47	Bleuets (Tarte aux)	Vol. 24 p. 105
Bagatelle aux pommes	Vol. 9 p. 72	Bleuets (Yaourt aux — et au miel)	Vol. 23 p. 37
Bananes (Crêpes aux)	Vol. 9 p. 98	Bœuf (Brochettes de)	Vol. 1 p. 60
Bananes (Gâteau aux)	Vol. 3 p. 54	Bœuf (Casserole de — à la chinoise)	Vol. 14 p. 34
Bananes (Pain de blé entier aux)	Vol. 3 p. 34	Bœuf (Coeur de)	Vol. 8 p. 104
Bar à la valeur, accompagné de haricots noirs	Vol. 18 p. 56	Bœuf (Côtes de — à la coréenne)	Vol. 24 p. 68
Barbottes au beurre citronné	Vol. 5 p. 83	Bœuf (Côtes de — à la sauce barbecue)	Vol. 1 p. 36
Beignets au camembert	Vol. 16 p. 70	Bœuf (Filet de — mariné à la sauce soja)	Vol. 1 p. 102
Betteraves (Julienne de)	Vol. 23 p. 50	Bœuf (Flanc de)	Vol. 8 p. 42
Betteraves (Ketchup aux)	Vol. 13 p. 49	Bœuf (Foie de — à la sauce brune)	Vol. 1 p. 96
Betteraves à la mode de Harvard	Vol. 19 p. 48	Bœuf (Jardinière de)	Vol. 1 p. 45
Betteraves au vinaigre	Vol. 13 p. 48	Bœuf (Langue de — aux amandes)	Vol. 8 p. 76
Beurre d'arachides (Gâteau au)	Vol. 9 p. 38	Bœuf (Macaroni au — et au maïs)	Vol. 14 p. 32
Bière (Bœuf à la)	Vol. 1 p. 58	Bœuf (Omelette au)	Vol. 1 p. 74
Bière (Jambon à la)	Vol. 23 p. 22	Bœuf (Paleron de)	Vol. 8 p. 40
Bière (Lièvre à la)	Vol. 17 p. 100	Bœuf (Pâté de — garni)	Vol. 8 p. 64
Bière (Perchaude à la)	Vol. 5 p. 84	Bœuf (Ragoût de — à la mexicaine)	Vol. 19 p. 66
Bifteck à la mode de Londres	Vol. 8 p. 45	Bœuf (Ramequin de)	Vol. 1 p. 76
Bifteck à la sauce madère	Vol. 8 p. 36	Bœuf (Recettes dérivées de la préparation de)	Vol. 14 p. 24
Bifteck à la sauce piquante	Vol. 8 p. 34	Bœuf (Rognons de)	Vol. 8 p. 80
Bifteck au poivre	Vol. 8 p. 32	Bœuf (Roulades de — à la moutarde)	Vol. 1 p. 48
Bifteck aux poivrons	Vol. 8 p. 48	Bœuf (Roulés de — au saucisson de Bologne)	Vol. 22 p. 36
Bifteck chasseur	Vol. 8 p. 70	Bœuf (Salade de)	Vol. 14 p. 76
Bifteck d'aloyau	Vol. 1 p. 64	Bœuf (Saucisses de — avec haricots)	Vol. 8 p. 96
Bifteck de chevreuil en sauce au poivre	Vol. 17 p. 84	Bœuf (Saucisses de)	Vol. 8 p. 74
Bifteck du sud	Vol. 14 p. 74	Bœuf (Soupe au)	Vol. 21 p. 26
Bifteck mariné	Vol. 8 p. 72	Bœuf (Soupe épicée au)	Vol. 24 p. 72
Bifteck Salisbury	Vol. 8 p. 54	Bœuf (Timbale au)	Vol. 8 p. 92
Bifteck Sukiyaki	Vol. 1 p. 42	Bœuf à l'orange	Vol. 22 p. 34
Biscuits à l'abricot	Vol. 21 p. 98	Bœuf à l'orientale	Vol. 8 p. 50
Biscuits à la compote de pommes	Vol. 9 p. 49	Bœuf à la bière	Vol. 1 p. 58
Biscuits aux brisures de chocolat	Vol. 3 p. 24	Bœuf à la chinoise	Vol. 21 p. 62
Biscuits aux flocons d'avoine	Vol. 19 p. 98	Bœuf à la mode	Vol. 8 p. 30
Biscuits aux raisins à l'ancienne	Vol. 3 p. 26		
Bisque de fruits de mer	Vol. 11 p. 76		

Bœuf à la niçoise	Vol. 8 **p. 94**	Bœuf sauté à l'orange	Vol. 19 **p. 68**
Bœuf au cari	Vol. 14 **p. 30**	Bœuf strogonoff	Vol. 1 **p. 40**
Bœuf au céleri et au bacon	Vol. 1 **p. 54**	Boisson à la tomate	Vol. 23 **p. 66**
Bœuf au poivron vert	Vol. 8 **p. 78**	Boisson chaude	Vol. 20 **p. 76**
Bœuf aux olives	Vol. 1 **p. 68**	Bonshommes de pain d'épices	Vol. 25 **p. 105**
Bœuf aux poivrons	Vol. 18 **p. 100**	Bouchées au jambon	Vol. 4 **p. 46**
Bœuf bourguignon (recette double)	Vol. 1 **p. 56**	Bouillabaisse	Vol. 5 **p. 54**
Bœuf bourguignon (recette simple)	Vol. 22 **p. 38**	Bouilli	Vol. 1 **p. 62**
Bœuf braisé	Vol. 1 **p. 66**	Bouillon de légumes	Vol. 11 **p. 59**
Bœuf braisé (Roulades de)	Vol. 24 **p. 40**	Bouillon de poisson	Vol. 11 **p. 59**
Bœuf braisé Nouvelle-Angleterre	Vol. 8 **p. 28**	Bouillon de viande	Vol. 11 **p. 58**
Bœuf chinois	Vol. 1 **p. 52**	Bouillon de volaille	Vol. 11 **p. 58**
Bœuf en croûte	Vol. 8 **p. 46**	Boules granola	Vol. 20 **p. 90**
Bœuf haché (Casserole de lentilles et de)	Vol. 21 **p. 64**	Boulettes (Brochettes de)	Vol. 8 **p. 58**
Bœuf haché (Casserole de — avec haricots verts)	Vol. 1 **p. 72**	Boulettes (Recettes de base pour)	Vol. 1 **p. 90**
		Boulettes d'agneau	Vol. 10 **p. 94**
Bœuf haché (Casserole de)	Vol. 22 **p. 40**	Boulettes d'orignal à la crème	Vol. 17 **p. 76**
Bœuf haché (Ragoût de)	Vol. 8 **p. 56**	Boulettes de chair à saucisse	Vol. 14 **p. 80**
Bœuf mexicain	Vol. 8 **p. 84**	Boulettes de jambon	Vol. 21 **p. 68**
Bœuf oriental à la mandarine	Vol. 8 **p. 50**	Boulettes de porc	Vol. 18 **p. 46**
		Boulettes de viande avec fèves au lard	Vol. 8 **p. 61**

Boulettes pochées en sauce au citron	Vol. 24 **p. 42**	Brocoli (Casserole de — et de jambon)	Vol. 13 **p. 56**
Bourbon (Mousse au)	Vol. 25 **p. 70**	Brocoli (Crème de poireaux et de)	Vol. 21 **p. 36**
Bourgogne (Faisan au)	Vol. 17 **p. 38**	Brocoli (Porc haché au)	Vol. 18 **p. 48**
Brioche (Pâte à)	Vol. 9 **p. 22**	Brocoli (Poulet au)	Vol. 18 **p. 30**
Brioche à l'ananas et au miel	Vol. 9 **p. 24**	Brocoli (Quiche au — et au fromage)	Vol. 16 **p. 86**
Brioche aux noix et aux cerises vertes	Vol. 9 **p. 23**	Brocoli (Quiche au poulet et au)	Vol. 2 **p. 86**
Brioche aux pommes	Vol. 9 **p. 25**	Brocoli (Rouleaux de jambon et de)	Vol. 25 **p. 44**
Brioche du petit déjeuner	Vol. 9 **p. 26**	Brocoli (Soupe au — et à l'oignon)	Vol. 19 **p. 30**
Brioche du Vendredi saint	Vol. 9 **p. 30**	Brocoli (Terrine de)	Vol. 21 **p. 42**
Brochet à la sauce aux câpres	Vol. 5 **p. 96**	Brocoli amandine	Vol. 13 **p. 58**
Brochettes de boulettes	Vol. 8 **p. 58**	Brocoli, sauce aux champignons	Vol. 21 **p. 48**
Brochettes (Mini — de volaille)	Vol. 15 **p. 46**	Brunch (Quand le tête-à-tête se fait)	Vol. 23 **p. 98**
Brochettes d'agneau	Vol. 10 **p. 90**	Brunch à savourer entre amis (Un)	Vol. 23 **p. 88**
Brochettes de boeuf	Vol. 1 **p. 60**	Brunch chaud (Votre)	Vol. 23 **p. 18**
Brochettes de fruits chauds	Vol. 23 **p. 87**	Brunch de Pâques (Votre)	Vol. 23 **p. 38**
Brochettes de fruits de mer	Vol. 6 **p. 76**	Brunch pour célébrer un	
Brochettes de poisson et de fruits	Vol. 5 **p. 58**	anniversaire (Un)	Vol. 23 **p. 28**
Brochettes de porc et de pruneaux	Vol. 4 **p. 66**	Brunch pour la fête des Mères (Un)	Vol. 23 **p. 58**
Brochettes de poulet	Vol. 2 **p. 70**	Brunch préféré des enfants (Le)	Vol. 23 **p. 78**
Brochettes de saucisses	Vol. 20 **p. 56**	Brunch québécois (Un)	Vol. 23 **p. 48**
Brocoli (Casserole de — et de fromage)	Vol. 23 **p. 50**	Brunch côté jardin (Votre)	Vol. 23 **p. 68**

C

Café (Mousse au)	Vol. 25	p. 90
Café irlandais	Vol. 23	p. 26
Cailles (Casserole de — aux petits pois)	Vol. 7	p. 61
Cailles à l'oignon	Vol. 7	p. 54
Cailles au vin	Vol. 23	p. 103
Cailles au vin blanc	Vol. 7	p. 56
Cailles aux raisins verts	Vol. 2	p. 46
Cailles chasseur	Vol. 17	p. 54
Calmars farcis au jambon	Vol. 6	p. 86
Camembert (Beignets au)	Vol. 16	p. 70
Canard (Farce d'abats pour —)	Vol. 17	p. 57
Canard (Poitrines de — au cidre)	Vol. 17	p. 46
Canard (Sauce d'accompagnement pour)	Vol. 17	p. 58
Canard à l'orientale	Vol. 7	p. 50
Canard à la provençale	Vol. 7	p. 46
Canard aux olives	Vol. 7	p. 53
Canard aux pommes	Vol. 17	p. 48
Canard en gelée	Vol. 18	p. 34
Canard rôti, farci aux huîtres	Vol. 17	p. 52
Canardeau à l'orange	Vol. 2	p. 44
Caneton rôti en sauce	Vol. 7	p. 48
Canneberges (Pain de)	Vol. 19	p. 100
Canneberges (Sauce aux — et aux poires)	Vol. 2	p. 101
Canneberges (Sauce aux)	Vol. 11	p. 30
Cannelloni au veau et aux épinards	Vol. 12	p. 50
Câpres (Brochet à la sauce aux)	Vol. 5	p. 96
Câpres (Sauce aux)	Vol. 11	p. 25
Câpres (Truites aux)	Vol. 22	p. 104
Caramel (Anneau au — et aux cerises)	Vol. 9	p. 32
Caramel (Crème)	Vol. 9	p. 84
Caramel (Pommes au)	Vol. 9	p. 48
Cari (Bœuf au)	Vol. 14	p. 30
Cari (Sauce au)	Vol. 11	p. 30
Cari (Velouté glacé au)	Vol. 25	p. 32
Caribou (Pain de viande de)	Vol. 17	p. 90
Caribou (Rôti de)	Vol. 17	p. 88
Carottes (Crème de)	Vol. 11	p. 64
Carottes (Gâteau aux)	Vol. 1	p. 105
Carottes (Potage aux)	Vol. 21	p. 32
Carottes (Poulet aux — sauce sésame)	Vol. 24	p. 70
Carottes à la crème	Vol. 13	p. 46
Carottes basques	Vol. 15	p. 56
Carottes glacées	Vol. 13	p. 45
Carottes Vichy	Vol. 25	p. 27
Carré d'agneau en haie d'honneur	Vol. 10	p. 88
Carrés à la guimauve	Vol. 20	p. 86
Carrés aux dattes	Vol. 3	p. 105
Casse-croûte à la grecque	Vol. 14	p. 36
Casserole d'artichauts et de petits pois	Vol. 13	p. 83
Casserole d'oignons et de tomates	Vol. 13	p. 78
Casserole de bœuf à la chinoise	Vol. 14	p. 34
Casserole de bœuf haché avec haricots verts	Vol. 1	p. 72
Casserole de bœuf haché	Vol. 22	p. 40
Casserole de brocoli et de fromage	Vol. 23	p. 50
Casserole de brocoli et de jambon	Vol. 13	p. 56
Casserole de cailles aux petits pois	Vol. 7	p. 61
Casserole de chair de crabe	Vol. 6	p. 61
Casserole de dinde au fromage	Vol. 14	p. 52
Casserole de fruits de mer	Vol. 6	p. 88
Casserole de lentilles et de bœuf haché	Vol. 21	p. 64
Casserole de riz et de poulet	Vol. 18	p. 80
Casserole de veau	Vol. 10	p. 28
Cassoulet	Vol. 24	p. 18
Céleri (Bœuf au — et au bacon)	Vol. 1	p. 54
Céleri (Potage au)	Vol. 19	p. 34
Céleri (Poulet farci au — et aux noix)	Vol. 2	p. 50
Céleri (Ragoût d'agneau au)	Vol. 10	p. 83
Céleri (Velouté de)	Vol. 6	p. 101
Cerises (Anneau au caramel et aux)	Vol. 9	p. 32
Cerises (Confiture de)	Vol. 9	p. 97
Cerises (Mousse aux)	Vol. 9	p. 80
Cerises noires (Poulets de Cornouailles aux)	Vol. 7	p. 62
Cerises vertes (Brioche aux noix et aux)	Vol. 9	p. 23
Cervelle de veau	Vol. 10	p. 58
Champagne (Poulet au)	Vol. 7	p. 76
Champagne (Punch au)	Vol. 25	p. 16

Index alphabétique

Champignons (Brocoli, sauce aux)	Vol. 21	p. 48
Champignons (Choux de Bruxelles aux)	Vol. 13	p. 59
Champignons (Crème de)	Vol. 11	p. 68
Champignons (Filet d'aiglefin aux)	Vol. 22	p. 68
Champignons (Garniture aux)	Vol. 16	p. 60
Champignons (Homard aux)	Vol. 18	p. 54
Champignons (Linguine aux — et à la crème)	Vol. 12	p. 62
Champignons (Orignal aux)	Vol. 17	p. 74
Champignons (Porc sauté aux)	Vol. 22	p. 62
Champignons (Poulet au yaourt et aux)	Vol. 21	p. 58
Champignons (Poulet aux) (morceaux)	Vol. 19	p. 62
Champignons (Poulet aux) (poitrines)	Vol. 14	p. 84
Champignons (Salade de — et d'artichauts)	Vol. 13	p. 86
Champignons (Salade de — et de chou-fleur)	Vol. 22	p. 101
Champignons (Salade de riz brun aux)	Vol. 12	p. 101
Champignons (Sauce aux)	Vol. 17	p. 58
Champignons (Sauté d'huîtres aux)	Vol. 6	p. 78
Champignons à la grecque	Vol. 15	p. 101
Champignons farcis	Vol. 21	p. 50
Champignons farcis (chair de saucisses)	Vol. 15	p. 68
Charlotte à l'orange	Vol. 23	p. 57
Châtaignes (Porc aux)	Vol. 24	p. 66
Chaudrée de poisson et courgettes	Vol. 5	p. 56
Chaudrée du pêcheur	Vol. 19	p. 80
Cheddar (Macaroni au)	Vol. 12	p. 61
Chevreuil (Bifteck de — en sauce au poivre)	Vol. 17	p. 84
Chevreuil (Cuissot de — petit-maître)	Vol. 17	p. 80
Chevreuil (Cuissot de — rôti)	Vol. 17	p. 78
Chevreuil (Ragoût de)	Vol. 17	p. 86
Chevreuil à la suisse	Vol. 17	p. 82
Chevreuil en sauce aigre-douce	Vol. 17	p. 83
Chili	Vol. 1	p. 94
Chocolat (Biscuits aux brisures de)	Vol. 3	p. 24
Chocolat (Crème au)	Vol. 3	p. 81
Chocolat (Fondue au)	Vol. 3	p. 102
Chocolat (Garniture au)	Vol. 3	p. 72
Chocolat (Gâteau allemand au)	Vol. 9	p. 36
Chocolat (Gâteau au fudge et au)	Vol. 3	p. 64
Chocolat (Gâteau aux brisures de)	Vol. 23	p. 86
Chocolat (Glace au)	Vol. 3	p. 69
Chocolat (Mousse au — et à la menthe)	Vol. 9	p. 78
Chocolat (Mousse au)	Vol. 3	p. 101
Chocolat (Muffins au)	Vol. 3	p. 42
Chocolat chaud	Vol. 23	p. 86
Chocolat madrilène	Vol. 23	p. 66
Chop suey au porc	Vol. 4	p. 96
Chop suey au porc	Vol. 18	p. 53
Chou (Feuilles de — farcies au poulet)	Vol. 2	p. 90
Chou (Feuilles de — farcies)	Vol. 24	p. 48
Chou (Perdrix au)	Vol. 17	p. 34
Chou (Quiche au)	Vol. 13	p. 54
Chou (Rôti d'épaule de veau au)	Vol. 10	p. 24
Chou (Salade de)	Vol. 23	p. 20
Chou (Soupe au)	Vol. 11	p. 93

Index alphabétique

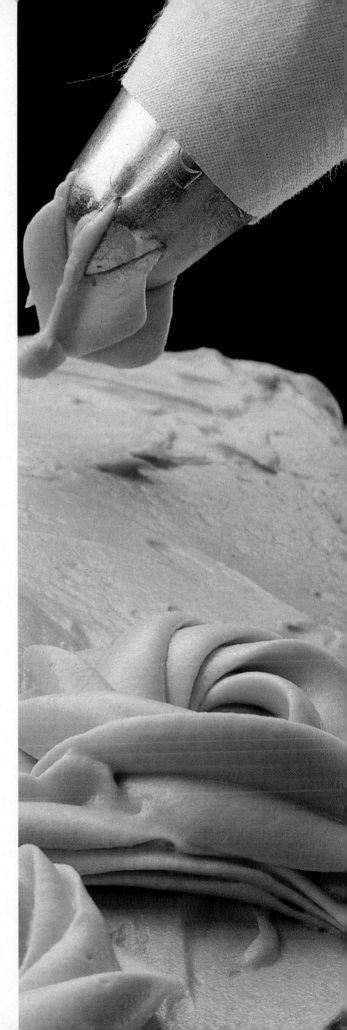

Chou gratiné	Vol. 15	p. 70
Chou râpé à l'orange	Vol. 25	p. 82
Chou-fleur (Quiche au)	Vol. 15	p. 72
Chou-fleur (Salade de champignons et de)	Vol. 22	p. 101
Chou-fleur (Soupe au)	Vol. 11	p. 67
Chou-fleur à la polonaise	Vol. 13	p. 60
Chou-fleur gratiné	Vol. 1	p. 103
Choucroute à la perdrix	Vol. 17	p. 32
Choucroute et porc	Vol. 4	p. 94
Choux de Bruxelles à la crème sure	Vol. 13	p. 60
Choux de Bruxelles aux champignons	Vol. 13	p. 59
Choux farcis	Vol. 1	p. 70
Cidre (Poitrines de canard au)	Vol. 17	p. 46
Cidre chaud	Vol. 23	p. 56
Citron (Boulettes pochées en sauce au)	Vol. 24	p. 42
Citron (Garniture au)	Vol. 3	p. 73
Citron (Pouding au — et à l'ananas)	Vol. 9	p. 71
Citron (Poulet au)	Vol. 2	p. 64
Citron (Sauce au)	Vol. 11	p. 20
Citron (Tarte au — et à la meringue)	Vol. 3	p. 94
Citrouille (Potage à la)	Vol. 19	p. 26
Citrouille (Tarte à la)	Vol. 25	p. 78
Civet de lièvre	Vol. 17	p. 105
Cœur de bœuf	Vol. 8	p. 104
Cognac (Oie au)	Vol. 7	p. 34
Cognac (Terrine au)	Vol. 23	p. 74
Compote de fruits	Vol. 9	p. 90
Compote de pommes	Vol. 9	p. 88
Compote de rhubarde	Vol. 9	p. 92
Concombre (Sauce à l'aneth et au)	Vol. 11	p. 18
Concombres (Crème de — et de fonds d'artichauts)	Vol. 11	p. 72
Concombres (Potage aux — et aux tomates)	Vol. 21	p. 24
Concombres (Salade de)	Vol. 10	p. 100
Concombres farcis	Vol. 15	p. 53
Confiture de bleuets	Vol. 9	p. 95
Confiture de cerises	Vol. 9	p. 97
Confiture de fraises	Vol. 9	p. 94
Confiture de framboises	Vol. 9	p. 96
Consommé de bœuf (Sauce au)	Vol. 17	p. 58
Consommé madrilène	Vol. 10	p. 101
Coq au vin	Vol. 7	p. 42
Coq farci rôti	Vol. 7	p. 45
Coquille de fruits de mer	Vol. 16	p. 80
Coquilles de courgettes aux tomates	Vol. 19	p. 50
Coquilles de crevettes au gratin	Vol. 15	p. 22
Coquilles Saint-Jacques (pétoncles)	Vol. 6	p. 94
Coquilles Saint-Jacques (fruits de mer)	Vol. 21	p. 72
Côtelettes d'agneau à l'italienne	Vol. 10	p. 59
Côtelettes d'agneau au persil	Vol. 14	p. 86
Côtelettes d'agneau aux haricots	Vol. 19	p. 70
Côtelettes d'agneau aux pommes	Vol. 10	p. 78
Côtelettes de dinde marinées	Vol. 7	p. 28
Côtelettes de porc	Vol. 4	p. 54
Côtelettes de porc à la napolitaine	Vol. 4	p. 64
Côtelettes de porc à la normande	Vol. 4	p. 58
Côtelettes de porc à la sauce piquante	Vol. 4	p. 62
Côtelettes de porc aux fines herbes	Vol. 4	p. 61
Côtelettes de porc dorées	Vol. 4	p. 50
Côtelettes de porc en papillottes	Vol. 4	p. 56

Index alphabétique

Côtelettes de porc sur nid de macaroni	Vol. 4	p. 70
Côtes de bœuf à la coréenne	Vol. 24	p. 68
Côtes de bœuf à la sauce barbecue	Vol. 1	p. 36
Côtes de porc à la sauce aigre-douce	Vol. 4	p. 68
Côtes levées	Vol. 22	p. 56
Côtes levées à l'orientale	Vol. 18	p. 40
Coulis d'épinards	Vol. 13	p. 72
Coupe de fruits au Grand Marnier	Vol. 25	p. 38
Courgettes (Chaudrée de poisson et de)	Vol. 5	p. 56
Courgettes (Coquilles de — aux tomates)	Vol. 19	p. 50
Courgettes (Omelette aux)	Vol. 16	p. 28
Courgettes à l'ail	Vol. 25	p. 89
Courgettes à l'italienne	Vol. 13	p. 70
Courgettes à la grecque	Vol. 24	p. 34
Courgettes à la Provençale	Vol. 21	p. 53
Courgettes farcies (veau)	Vol. 15	p. 38
Courgettes farcies	Vol. 13	p. 68
Couronne à l'orange	Vol. 25	p. 60
Couronne d'agneau aux abricots	Vol. 10	p. 72
Couronne de dinde	Vol. 14	p. 46
Couscous au poulet et aux crevettes	Vol. 2	p. 96
Crabe (Casserole de chair de)	Vol. 6	p. 61
Crabe (Potage au)	Vol. 21	p. 28
Crabe (Quiche au)	Vol. 16	p. 88
Crabe (Rouleaux de poulet au)	Vol. 22	p. 53
Crabe (Vol-au-vent au)	Vol. 15	p. 32
Crabe à la cantonaise	Vol. 6	p. 56
Crabe à la florentine	Vol. 6	p. 58
Crabe sur croissant (Salade de)	Vol. 6	p. 64
Crabe (Pattes de — à la sauce citronnée)	Vol. 6	p. 62
Crème (Aubergines à la)	Vol. 15	p. 76
Crème (Boulettes d'orignal à la)	Vol. 17	p. 76
Crème (Carottes à la)	Vol. 13	p. 46
Crème (Gnocchi à la)	Vol. 12	p. 64
Crème (Linguine aux champignons et à la)	Vol. 12	p. 62
Crème (Oie à la)	Vol. 17	p. 64
Crème (Oignons à la)	Vol. 15	p. 80
Crème (Sucre à la)	Vol. 20	p. 102
Crème (Tortellini à la)	Vol. 12	p. 54
Crème à l'amande	Vol. 3	p. 102
Crème à la vanille	Vol. 3	p. 80
Crème au chocolat	Vol. 3	p. 81
Crème aux fraises	Vol. 3	p. 81
Crème caramel	Vol. 9	p. 84
Crème Chantilly aux amandes	Vol. 22	p. 96
Crème d'asperges	Vol. 5	p. 100
Crème de carottes	Vol. 11	p. 64
Crème de champignons	Vol. 11	p. 68
Crème de concombres et de fonds d'artichauts	Vol. 11	p. 72
Crème de homard	Vol. 11	p. 76
Crème de poireaux	Vol. 11	p. 72
Crème de poireaux et de brocoli	Vol. 21	p. 36
Crème de rutabaga	Vol. 21	p. 30
Crème pâtissière	Vol. 3	p. 100
Crème pâtissière au riz et aux pêches	Vol. 19	p. 96
Crème renversée au coulis de fruits	Vol. 9	p. 60
Crème Royale	Vol. 6	p. 105
Crème sure (Choux de Bruxelles à la)	Vol. 13	p. 60
Crème sure (Poulet sauté à la)	Vol. 7	p. 96
Crème sure (Sauce à la)	Vol. 11	p. 36
Crème sure (Truites à la)	Vol. 5	p. 40
Crêpes aux bananes	Vol. 9	p. 98
Crêpes aux pommes	Vol. 9	p. 99
Cresson (Potage de)	Vol. 20	p. 20
Cresson (Sauce au)	Vol. 11	p. 20
Cresson (Soupe au jambon et au)	Vol. 11	p. 84
Cresson (Soupe aux poires et au)	Vol. 23	p. 71
Cresson (Soupe légère au)	Vol. 23	p. 30
Cretons (veau)	Vol. 19	p. 53
Cretons (porc)	Vol. 14	p. 78
Cretons de grand-mère	Vol. 23	p. 60
Crevettes (Coquilles de — au gratin)	Vol. 15	p. 22
Crevettes (Couscous au poulet et aux)	Vol. 2	p. 96
Crevettes (Légumes et — endimanchés)	Vol. 23	p. 21
Crevettes (Linguine aux — et aux tomates	Vol. 21	p. 82
Crevettes (Pâté aux)	Vol. 25	p. 102
Crevettes (Pizzas aux)	Vol. 14	p. 105
Crevettes (Risotto aux)	Vol. 19	p. 76
Crevettes (Riz frit aux)	Vol. 12	p. 70
Crevettes (Salade de pommes de terre aux)	Vol. 23	p. 70
Crevettes (Saumon entier farci aux)	Vol. 5	p. 28
Crevettes (Velouté de)	Vol. 11	p. 80
Crevettes à l'ail	Vol. 6	p. 34
Crevettes à l'américaine	Vol. 6	p. 38
Crevettes à la chinoise	Vol. 6	p. 36
Crevettes à la créole	Vol. 6	p. 32
Crevettes à la créole (avec riz)	Vol. 21	p. 74
Crevettes du cocotier	Vol. 6	p. 40
Crevettes en paniers	Vol. 25	p. 84
Crevettes en sauce tomate au féta	Vol. 19	p. 82
Crevettes Kiang	Vol. 18	p. 58
Croque-aux-œufs	Vol. 23	p. 81
Croque-monsieur (muffin anglais)	Vol. 16	p. 100
Croque-monsieur (pain)	Vol. 14	p. 100
Croquettes de dinde au bacon	Vol. 2	p. 36
Croquettes de poisson à la crème de crevettes	Vol. 5	p. 92
Crosses de fougère	Vol. 25	p. 49
Croustade aux pommes et à la noix de coco	Vol. 9	p. 50
Croustade d'œufs brouillés	Vol. 16	p. 64
Croustillants aux pommes	Vol. 3	p. 103
Croûte aux biscuits graham	Vol. 3	p. 85
Croûte de tarte conventionnelle	Vol. 3	p. 84
Cuisses de grenouille	Vol. 15	p. 34
Cuisses de grenouille à la provençale	Vol. 6	p. 72
Cuissot de chevreuil petit-maître	Vol. 17	p. 80
Cuissot de chevreuil rôti	Vol. 17	p. 78

D

Darnes de flétan .... Vol. 22 **p. 70**
Darnes de flétan en feuilles .... Vol. 5 **p. 88**
Darnes de morue aux légumes .... Vol. 5 **p. 70**
Darnes de saumon à la duxelles .... Vol. 5 **p. 32**
Darnes de thon à la sauce hollandaise ... Vol. 5 **p. 76**
Dattes (Carrés aux) .... Vol. 3 **p. 105**
Dattes (Muffins aux — et au son) .... Vol. 3 **p. 45**
Daube de thon .... Vol. 24 **p. 84**
Demi-pêches garnies de mousse de
   crevettes .... Vol. 22 **p. 100**
Dinde (Avocats farcis à la) .... Vol. 14 **p. 50**
Dinde (Casserole de — au fromage) ..... Vol. 14 **p. 52**
Dinde (Côtelettes de — marinées) .... Vol. 7 **p. 28**
Dinde (Couronne de) .... Vol. 14 **p. 46**
Dinde (Croquettes de — au bacon) ...... Vol. 2 **p. 36**
Dinde (Escalopes de) .... Vol. 2 **p. 28**
Dinde (Glaces et sauces pour la) .... Vol. 2 **p. 23**
Dinde (Languettes de — à l'orientale) ... Vol. 2 **p. 73**
Dinde (Ragoût de) .... Vol. 2 **p. 32**
Dinde (Recettes dérivées de la
   préparation de) .... Vol. 14 **p. 28**
Dinde (Roulé de — aux épinards et aux
   oignons verts) .... Vol. 2 **p. 38**
Dinde (Tomates farcies à la) .... Vol. 2 **p. 41**
Dinde au paprika .... Vol. 2 **p. 43**
Dinde aux légumes .... Vol. 7 **p. 24**
Dinde braisée jardinière .... Vol. 2 **p. 26**
Dinde désossée aux fines herbes .... Vol. 2 **p. 34**
Dinde du temps des Fêtes .... Vol. 25 **p. 24**
Dinde en sauce sur pain .... Vol. 7 **p. 30**
Dinde farcie .... Vol. 2 **p. 104**
Dinde farcie au pain de maïs .... Vol. 7 **p. 22**
Dinde rôtie .... Vol. 2 **p. 24**
Dinde Véronique .... Vol. 14 **p. 48**
Doré (Filets de — sautés au beurre) ..... Vol. 5 **p. 12**
Doré (Manicotti au) .... Vol. 12 **p. 53**
Doré farci aux raisins verts .... Vol. 5 **p. 50**

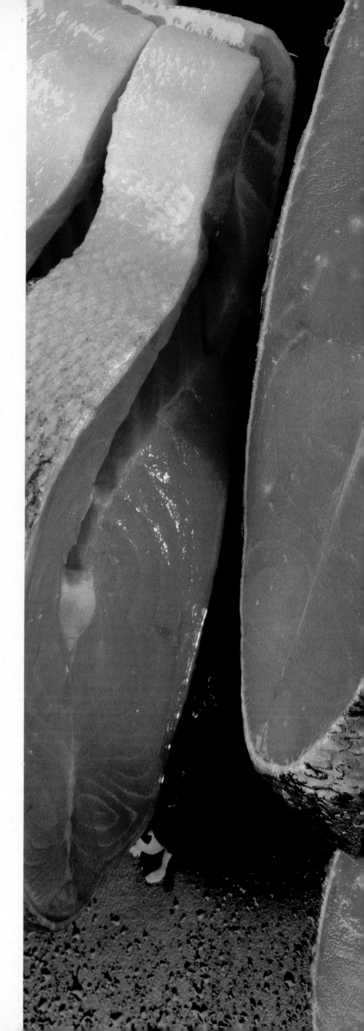

Index alphabétique

E

Effilochée de légumes	Vol. 25	p. 69
Émincé de porc aux fines herbes	Vol. 4	p. 72
Émincé de veau à la crème	Vol. 25	p. 76
Endives au gratin	Vol. 16	p. 78
Endives en cachette	Vol. 23	p. 90
Entrée de sardines	Vol. 15	p. 30
Épaule d'agneau glacée	Vol. 10	p. 86
Éperlans à la sauce rose	Vol. 5	p. 82
Épices (Pain aux — et aux pommes)	Vol. 3	p. 36
Épinards (Cannelloni au veau et aux)	Vol. 12	p. 50
Épinards (Coulis d')	Vol. 13	p. 72
Épinards (Farce de veau et d')	Vol. 12	p. 52
Épinards (Garniture aux)	Vol. 16	p. 60
Épinards (Manicotti aux)	Vol. 19	p. 84
Épinards (Pain de viande aux)	Vol. 1	p. 80
Épinards (Pétoncles citronnés aux)	Vol. 19	p. 78
Épinards (Roulé de dinde aux — et aux oignons verts)	Vol. 2	p. 38
Épinards (Salade d')	Vol. 8	p. 101
Épinards (Sauce aux)	Vol. 11	p. 43
Épis de maïs	Vol. 20	p. 36
Érable (Jambon à l') (fesse)	Vol. 23	p. 52
Érable (Jambon à l') (épaule)	Vol. 4	p. 34
Érable (Poires au sirop d')	Vol. 9	p. 54
Érable (Tarte à l')	Vol. 23	p. 56
Érable (Tarte à la crème d')	Vol. 3	p. 92
Escalopes de dinde	Vol. 2	p. 28
Escalopes de veau	Vol. 19	p. 64
Escalopes de veau à la crème	Vol. 12	p. 104
Escalopes de veau cordon bleu	Vol. 10	p. 45
Escalopes de veau parmigiana	Vol. 10	p. 42
Escargots à l'ail et aux oignons verts	Vol. 6	p. 84

F

Faisan à la basquaise	Vol. 17 p. 40	Flan aux abricots	Vol. 10 p. 105
Faisan au bourgogne	Vol. 17 p. 38	Flan aux ananas	Vol. 9 p. 56
Faisan royal	Vol. 17 p. 42	Flan aux poireaux	Vol. 13 p. 94
Farce (Variations sur le thème de la)	Vol. 2 p. 105	Flanc de bœuf	Vol. 8 p. 42
Farce au riz et à l'orange	Vol. 12 p. 80	Flétan (Darnes de)	Vol. 22 p. 70
Farce au riz et aux légumes	Vol. 12 p. 78	Flétan (Darnes de — en feuilles)	Vol. 5 p. 88
Farce d'abats pour canard	Vol. 17 p. 57	Flétan (Filets de — au brocoli)	Vol. 5 p. 86
Farce de veau et d'épinards	Vol. 12 p. 52	Foie d'agneau rôti	Vol. 10 p. 92
Farce fine	Vol. 17 p. 57	Foie (Pain de)	Vol. 21 p. 45
Farces (Suggestions pour vos volailles)	Vol. 7 p. 40	Foie de bœuf à la sauce brune	Vol. 1 p. 96
Fenouil (Porc au)	Vol. 4 p. 78	Foies de poulet (Soupe au riz et aux)	Vol. 11 p. 86
Fenouil (Sauce au)	Vol. 11 p. 48	Foie de poulet (Terrine de — et de porc)	Vol. 15 p. 94
Fettucine Alfredo	Vol. 7 p. 100	Foie de veau	Vol. 10 p. 34
Fettucine au vin rouge	Vol. 12 p. 45	Foies de poulet (Nouilles aux)	Vol. 2 p. 68
Fettucine Verdi	Vol. 2 p. 92	Fonds d'artichauts farcis	Vol. 15 p. 50
Fettucine Verdi	Vol. 6 p. 83	Fondue au chocolat	Vol. 3 p. 102
Feuilles de chou farcies	Vol. 24 p. 48	Fondue d'aubergines et de tomates	Vol. 15 p. 64
Feuilles de chou farcies au poulet	Vol. 2 p. 90	Fondue suisse	Vol. 16 p. 66
Feuilles de laitue farcies au porc	Vol. 18 p. 42	Fraises (Bagatelle aux)	Vol. 23 p. 47
Feuilles de vigne farcies	Vol. 15 p. 42	Fraises (Confiture aux)	Vol. 9 p. 94
Fèves au lard (Boulettes de viande avec)	Vol. 8 p. 61	Fraises (Crème aux)	Vol. 3 p. 81
Fèves au lard (Perdrix aux)	Vol. 17 p. 36	Fraises (Gâteaux sablés aux)	Vol. 22 p. 92
Fèves au lard à la mode Boston	Vol. 24 p. 96	Fraises (Mousse aux)	Vol. 3 p. 102
Filet d'aiglefin aux champignons	Vol. 22 p. 68	Fraises (Punch à l'ananas et aux)	Vol. 23 p. 97
Filet de bœuf mariné à la sauce soja	Vol. 1 p. 102	Fraises (Shortcake aux)	Vol. 3 p. 60
Filets de maquereau en sauce aigre-douce	Vol. 5 p. 68	Fraises (Sorbet aux)	Vol. 2 p. 105
Filet de porc Chiang Yu Wong (sauce soja)	Vol. 18 p. 50	Fraises (Tarte aux)	Vol. 3 p. 90
Filets de sébaste sur lit d'épinards	Vol. 5 p. 64	Framboises (Confiture de)	Vol. 9 p. 96
Filet de veau à la compote de fruits	Vol. 10 p. 38	Framboises (Pintade aux)	Vol. 7 p. 104
Filet de veau accompagné de riz	Vol. 14 p. 82	Framboises (Poires pochées au coulis de)	Vol. 5 p. 105
Filet mignon	Vol. 1 p. 51	Friandises à la noix de coco	Vol. 18 p. 92
Filets de doré sautés au beurre	Vol. 5 p. 53	Fricassée à la saucisse	Vol. 4 p. 90
Filets de flétan au brocoli	Vol. 5 p. 86	Fricassée de homard	Vol. 23 p. 94
Filets de sole à la créole	Vol. 22 p. 74	Fricassée de poulet	Vol. 7 p. 90
Filets de sole amandine	Vol. 5 p. 45	Fricassée de veau	Vol. 10 p. 54
Filets de sole aux crevettes	Vol. 22 p. 72	Fromage (Casserole de brocoli et de)	Vol. 23 p. 50
Filets de sole farcis	Vol. 5 p. 42	Fromage (Casserole de dinde au)	Vol. 14 p. 52
Filets de sole panés à l'italienne	Vol. 5 p. 46	Fromage (Flan au — et aux tomates)	Vol. 16 p. 92
Flan au fromage et aux tomates	Vol. 16 p. 92	Fromage (Gâteau au — et aux mandarines)	Vol. 9 p. 40
		Fromage (Gâteau au)	Vol. 3 p. 58

Fromage (Glace au)	Vol. 3	p. 69	Fruits (Gratin aux)	Vol. 9	p. 57
Fromage (Gnocchi au)	Vol. 15	p. 84	Fruits (Omelette aux)	Vol. 16	p. 40
Fromage (Macaroni au)	Vol. 16	p. 82	Fruits (Poulet aux)	Vol. 18	p. 32
Fromage (Macédoine au)	Vol. 16	p. 74	Fruits (Punch aux)	Vol. 25	p. 16
Fromage (Muffins)	Vol. 19	p. 88	Fruits (Salade de — chaude)	Vol. 23	p. 105
Fromage (Pain au — et au riz)	Vol. 16	p. 96	Fruits (Salade de)	Vol. 8	p. 105
Fromage (Pain de — et de saumon)	Vol. 14	p. 88	Fruits (Tarte aux — et aux pacanes)	Vol. 13	p. 105
Fromage (Petits gâteaux au)	Vol. 22	p. 94	Fruits (Tarte aux)	Vol. 21	p. 92
Fromage (Pommes de terre farcies au)	Vol. 15	p. 102	Fruits au Grand Marnier (Coupe de)	Vol. 25	p. 38
Fromage (Poulet farci au)	Vol. 19	p. 56	Fruits chauds (Brochettes de)	Vol. 23	p. 87
Fromage (Quiche au brocoli et au)	Vol. 16	p. 86	Fruits de mer (Avocats aux)	Vol. 15	p. 98
Fromage (Rutabaga et poivron			Fruits de mer (Bisque de)	Vol. 11	p. 76
vert au)	Vol. 13	p. 53	Fruits de mer (Brochettes de)	Vol. 6	p. 76
Fromage (Soupe au)	Vol. 16	p. 76	Fruits de mer (Casserole de)	Vol. 6	p. 88
Fromage (Tartinade au)	Vol. 16	p. 68	Fruits de mer (Coquille de)	Vol. 16	p. 80
Fromages (Assiette de)	Vol. 23	p. 41	Fruits de mer (Pot-en-pot)	Vol. 24	p. 100
Fromages (Lasagne aux quatre)	Vol. 12	p. 38	Fruits de mer (Quiche au)	Vol. 6	p. 90
Fruits (Ananas aux)	Vol. 9	p. 58	Fruits de mer (Spaghettini aux)	Vol. 6	p. 82
Fruits (Brochettes de poisson et de)	Vol. 5	p. 58	Fruits de mer (Vol-au-vent aux)	Vol. 6	p. 80
Fruits (Compote de)	Vol. 9	p. 90	Fruits montagnards	Vol. 23	p. 67
Fruits (Crème renversée au coulis de)	Vol. 9	p. 60	Fudge	Vol. 20	p. 94
Fruits (Gâteau aux)	Vol. 3	p. 56	Fudge (Gâteau au — et au chocolat)	Vol. 3	p. 64

G

Galantine de veau .... Vol. 10 p. 50
Garniture à la vanille .... Vol. 3   p. 72
Garniture au chocolat .... Vol. 3   p. 72
Garniture au citron .... Vol. 3   p. 73
Garniture aux champignons .... Vol. 16 p. 60
Garniture aux épinards .... Vol. 16 p. 60
Garniture aux pois verts .... Vol. 16 p. 60
Garniture aux trois légumes .... Vol. 13 p. 42
Gaspacho .... Vol. 11 p. 102
Gâteau à l'ananas .... Vol. 3   p. 52
Gâteau à la gelée aromatisée .... Vol. 23 p. 36
Gâteau allemand au chocolat .... Vol. 9   p. 36
Gâteau au beurre d'arachides .... Vol. 9   p. 38
Gâteau au fromage .... Vol. 3   p. 58
Gâteau au fromage et aux mandarines ... Vol. 9   p. 40
Gâteau au fudge et au chocolat .... Vol. 3   p. 64
Gâteau au tofu .... Vol. 21 p. 100
Gâteau aux bananes .... Vol. 3   p. 54
Gâteau aux brisures de chocolat .... Vol. 23 p. 86
Gâteau aux carottes .... Vol. 1   p. 105
Gâteau aux fruits .... Vol. 3   p. 56
Gâteau aux jujubes .... Vol. 25 p. 78
Gâteau aux tomates .... Vol. 9   p. 44
Gâteau blanc .... Vol. 3   p. 55
Gâteau Boston .... Vol. 9   p. 42
Gâteau de la Forêt-Noire .... Vol. 25 p. 28
Gâteau Reine Élizabeth .... Vol. 3   p. 62
Gâteaux moka .... Vol. 25 p. 105
Gâteaux sablés aux fraises .... Vol. 22 p. 92
Gelée aromatisée (Gâteau à la) .... Vol. 23 p. 36
Gelée Hzing Zen (amande) .... Vol. 18 p. 86

Germe de blé (Muffins au) .... Vol. 21 p. 88
Gibier (Marinade sèche pour) .... Vol. 17 p. 56
Gigot d'agneau au romarin .... Vol. 10 p. 74
Gigot d'agneau glacé aux canneberges ... Vol. 10 p. 76
Gingembre (Sorbet au — et aux
  mandarines) .... Vol. 9   p. 62
Glace à la japonaise .... Vol. 3   p. 68
Glace au chocolat .... Vol. 3   p. 69
Glace au fromage .... Vol. 3   p. 69
Glace moka .... Vol. 3   p. 68
Glaces et sauces pour la dinde .... Vol. 2   p. 23
Gnocchi à la crème .... Vol. 12 p. 64
Gnocchi au fromage .... Vol. 15 p. 84
Goulash .... Vol. 8   p. 83
Gourganes (Soupe aux) .... Vol. 19 p. 24
Graines de pavot (Pain blanc
  garni de) .... Vol. 3   p. 33
Gratin au thon .... Vol. 5   p. 80
Gratin aux fruits .... Vol. 9   p. 57
Gratin d'huîtres .... Vol. 6   p. 54
Gratin de chair de homard .... Vol. 6   p. 28
Gratin de légumes .... Vol. 16 p. 94
Gratin pommes de terre et de
  panais .... Vol. 25 p. 101
Gratin méridional .... Vol. 15 p. 88
Grenouille (Cuisses de — à la
  provençale) .... Vol. 6   p. 72
Grenouille (Cuisses de) .... Vol. 15 p. 34
Gruyère (Pommes chaudes au) .... Vol. 23 p. 27
Guimauve (Carrés à la) .... Vol. 20 p. 86

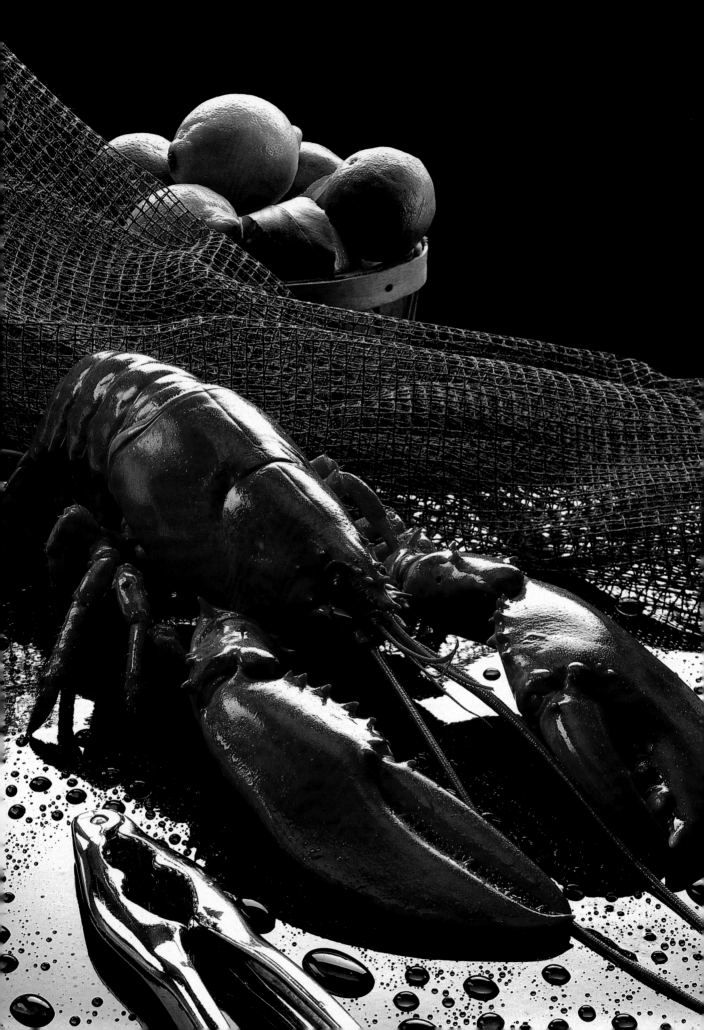

H

Hambourgeois	Vol. 1	p. 78
Hareng à la mode d'Oslo	Vol. 24	p. 88
Hareng salé mariné	Vol. 5	p. 94
Haricots blancs à l'ananas	Vol. 21	p. 46
Haricots jaunes à la créole	Vol. 13	p. 61
Haricots verts en sauce tomate	Vol. 13	p. 62
Homard (Crème de)	Vol. 11	p. 76
Homard (Fricassée de)	Vol. 23	p. 94
Homard (Gratin de chair de)	Vol. 6	p. 28
Homard (Queues de — farcies)	Vol. 6	p. 30
Homard (Ragoût d'aubergines au)	Vol. 15	p. 36
Homard (Salade de — et de riz)	Vol. 12	p. 84
Homard aux champignons	Vol. 18	p. 54
Homard Thermidor	Vol. 6	p. 24
Hors-d'œuvre chauds (Préparations de base des)	Vol. 15	p. 12
Hors-d'œuvre de la mer	Vol. 6	p. 92
Hors-d'œuvre froids (Sauces froides pour)	Vol. 15	p. 14
Huîtres (Canard rôti, farci aux)	Vol. 17	p. 52
Huîtres (Gratin d')	Vol. 6	p. 54
Huîtres (Légumes chinois à la sauce d')	Vol. 18	p. 62
Huîtres (Sauté d' — aux champignons)	Vol. 6	p. 78
Huîtres (Soupe aux)	Vol. 11	p. 80

I-J

Infusion de menthe	Vol. 23	p. 76
Jambon (Bouchées au)	Vol. 4	p. 46
Jambon (Boulettes de)	Vol. 21	p. 68
Jambon (Calmars farcis au)	Vol. 6	p. 86
Jambon (Casserole de brocoli et de)	Vol. 13	p. 56
Jambon (Macaroni au)	Vol. 14	p. 95
Jambon (Mousse au)	Vol. 15	p. 92
Jambon (Pain de)	Vol. 4	p. 36
Jambon (Potage au poulet, — et riz)	Vol. 24	p. 83
Jambon (Riz aux œufs et au)	Vol. 18	p. 78
Jambon (Rouleaux de — et de brocoli)	Vol. 25	p. 44
Jambon (Roulés au)	Vol. 15	p. 48
Jambon (Soupe au — et au cresson)	Vol. 11	p. 84
Jambon (Soupe au poulet et au)	Vol. 11	p. 84
Jambon (Terrine de — et d'œufs)	Vol. 23	p. 42
Jambon (Vol-au-vent au)	Vol. 4	p. 48
Jambon à l'ananas	Vol. 4	p. 32
Jambon à l'érable (épaule)	Vol. 4	p. 34
Jambon à l'érable (fesse)	Vol. 23	p. 52
Jambon à l'orange	Vol. 22	p. 61
Jambon à la bière	Vol. 23	p. 22
Jambon canadien	Vol. 4	p. 42
Jambon et nouilles gratinées	Vol. 4	p. 40
Jambon et œuf	Vol. 20	p. 64
Jambon glacé au four	Vol. 4	p. 38
Jambon glacé aux pêches	Vol. 11	p. 53
Jambon Parmentier	Vol. 4	p. 45
Jardinière de bœuf	Vol. 1	p. 45
Jardinière de légumes	Vol. 7	p. 101
Jarret d'agneau à l'européenne	Vol. 10	p. 80
Jarret de veau	Vol. 10	p. 36
Jujubes (Gâteau aux)	Vol. 25	p. 78
Julienne de betteraves	Vol. 23	p. 50
Julienne de légumes	Vol. 23	p. 80

K-L

Ketchup aux betteraves	Vol. 13 **p. 49**	Légumes (Riz aux)	Vol. 12 **p. 88**
Ketchup aux tomates	Vol. 13 **p. 74**	Légumes (Salade de)	Vol. 23 **p. 101**
		Légumes (Sauce aux — à l'italienne)	Vol. 16 **p. 59**
Laitue (Feuilles de — farcies au porc)	Vol. 18 **p. 42**	Légumes (Soupe à l'orge et aux)	Vol. 11 **p. 86**
Laitue Boston, vinaigrette à l'estragon	Vol. 23 **p. 100**	Légumes (Soupe aux — et aux nouilles)	Vol. 20 **p. 24**
Laitues (Salade de)	Vol. 4 **p. 100**	Légumes (Soupe aux)	Vol. 2 **p. 100**
Langoustines (Risotto aux)	Vol. 24 **p. 28**	Légumes (Spaghettini aux)	Vol. 20 **p. 72**
Langoustines à l'ail	Vol. 6 **p. 42**	Légumes (Tourte aux)	Vol. 23 **p. 62**
Langoustines à l'italienne	Vol. 6 **p. 45**	Légumes (Veau aux)	Vol. 22 **p. 80**
Langoustines sans gêne	Vol. 6 **p. 46**	Légumes à l'orientale	Vol. 15 **p. 90**
Langue de bœuf aux amandes	Vol. 8 **p. 76**	Légumes au gratin	Vol. 19 **p. 44**
Languettes de dinde à l'orientale	Vol. 2 **p. 73**	Légumes braisés	Vol. 19 **p. 40**
Lapin (Sauté de — au vin blanc)	Vol. 24 **p. 20**	Légumes chinois à la sauce d'huîtres	Vol. 18 **p. 62**
Lapin à la moutarde	Vol. 25 **p. 56**	Légumes et crevettes endimanchés	Vol. 23 **p. 21**
Lapin à la noix de coco	Vol. 24 **p. 80**	Légumes frits à la chinoise	Vol. 13 **p. 88**
Lasagne	Vol. 8 **p. 88**	Légumes glacés	Vol. 25 **p. 103**
Lasagne au saumon	Vol. 12 **p. 40**	Légumes marinés	Vol. 25 **p. 59**
Lasagne aux quatre fromages	Vol. 12 **p. 38**	Lentilles (Soupe aux — et aux tomates)	Vol. 19 **p. 32**
Lasagne traditionnelle	Vol. 12 **p. 34**	Lentilles (Casserole de — et de bœuf haché)	Vol. 21 **p. 64**
Lasagne verte à la bolonaise	Vol. 12 **p. 36**	Lentilles (Soupe aux — et légumes)	Vol. 13 **p. 100**
Légumes (Bouillon de)	Vol. 11 **p. 59**	Lentilles (Soupe aux)	Vol. 11 **p. 92**
Légumes (Effilochée de)	Vol. 25 **p. 69**	Lièvre (Civet de)	Vol. 17 **p. 105**
Légumes (Farce au riz et aux)	Vol. 12 **p. 78**	Lièvre à la bière	Vol. 17 **p. 100**
Légumes (Garniture aux trois)	Vol. 13 **p. 42**	Lièvre chasseur	Vol. 17 **p. 101**
Légumes (Gratin de)	Vol. 16 **p. 94**	Lièvre en cocotte	Vol. 17 **p. 98**
Légumes (Jardinière de)	Vol. 7 **p. 101**	Linguine aux champignons et à la crème	Vol. 12 **p. 62**
Légumes (Julienne de)	Vol. 23 **p. 80**	Linguine aux crevettes et aux tomates	Vol. 21 **p. 82**
Légumes (Macédoine de)	Vol. 13 **p. 50**	Litchis (Mousse aux)	Vol. 18 **p. 90**
Légumes (Paella aux)	Vol. 21 **p. 61**	Litchis (Sauce aux)	Vol. 18 **p. 70**
Légumes (Pain de veau et de)	Vol. 21 **p. 66**	Lotus (Salade de)	Vol. 18 **p. 96**
Légumes (Pétoncles aux)	Vol. 21 **p. 78**		
Légumes (Potage aux)	Vol. 11 **p. 88**		
Légumes (Poulet sauté aux)	Vol. 7 **p. 83**		
Légumes (Riz au porc et aux)	Vol. 12 **p. 76**		

Macaroni (Salade de)	Vol. 23 p. 30
Macaroni à la viande	Vol. 23 p. 82
Macaroni au bœuf et au maïs	Vol. 14 p. 32
Macaroni au cheddar	Vol. 12 p. 61
Macaroni au fromage	Vol. 16 p. 82
Macaroni au jambon	Vol. 14 p. 95
Macaroni chinois	Vol. 1 p. 92
Macaroni de grand-mère	Vol. 8 p. 86
Macédoine au fromage	Vol. 16 p. 74
Macédoine de légumes	Vol. 13 p. 50
Macédoine estivale	Vol. 13 p. 96
Madère (Rôti d'agneau au)	Vol. 10 p. 84
Madère (Sauce au)	Vol. 11 p. 32
Maïs (Épis de)	Vol. 20 p. 36
Maïs (Macaroni au bœuf et au)	Vol. 14 p. 32
Maïs (Soupe au)	Vol. 18 p. 82
Maïs en sauce chili	Vol. 13 p. 64
Mandarine (Bœuf oriental à la)	Vol. 8 p. 50
Mandarines (Gâteau au fromage et aux)	Vol. 9 p. 40
Mandarines (Sorbet au gingembre et aux)	Vol. 9 p. 62
Manicotti au doré	Vol. 12 p. 53
Manicotti au saumon	Vol. 5 p. 34
Manicotti aux épinards	Vol. 19 p. 84
Maquereau (Filets de — en sauce aigre-douce)	Vol. 5 p. 68
Maquereaux aux poireaux	Vol. 5 p. 66
Marinade pour l'orignal	Vol. 17 p. 56
Marinade sèche (pour gibier)	Vol. 17 p. 56
Marrons (Mousse de)	Vol. 12 p. 105
Mélasse (Muffins au son et à la)	Vol. 3 p. 44
Melons glacés	Vol. 23 p. 77
Menthe (Infusion de)	Vol. 23 p. 76
Menthe (Mousse au chocolat et à la)	Vol. 9 p. 78
Menthe (Parfait à la)	Vol. 7 p. 105
Menus de la semaine	Vol. 14 pp. 54 à 73
Meringue (Tarte au citron et à la)	Vol. 3 p. 94
Miel (Brioche à l'ananas et au)	Vol. 9 p. 24
Miel (Muffins au — et au blé entier)	Vol. 3 p. 43
Miel (Porc rôti au — sur riz)	Vol. 18 p. 38
Miel (Poulet laqué au)	Vol. 18 p. 24
Miel (Yaourt aux bleuets et au)	Vol. 23 p. 37
Mignons de porc bordelaise	Vol. 4 p. 76
Mini-brochettes de volaille	Vol. 15 p. 46
Mini-pizza à l'italienne	Vol. 14 p. 102
Mini-pizza à la napolitaine	Vol. 14 p. 101
Mini-pizzas (enfants)	Vol. 20 p. 82
Mini-pizzas	Vol. 16 p. 98
Moka (Glace au)	Vol. 3 p. 68
Morue (Darnes de — aux légumes)	Vol. 5 p. 70
Morue (Ragoût de)	Vol. 14 p. 90
Morue (Soupe à la)	Vol. 11 p. 78
Moules à la bordelaise	Vol. 15 p. 26
Moules bordelaises	Vol. 25 p. 64
Moules marinière	Vol. 5 p. 101
Moussaka	Vol. 8 p. 62
Mousse au bourbon	Vol. 25 p. 70
Mousse au café	Vol. 25 p. 90
Mousse au chocolat	Vol. 3 p. 101
Mousse au chocolat et à la menthe	Vol. 9 p. 78
Mousse au jambon	Vol. 15 p. 92
Mousse aux raisins	Vol. 9 p. 82
Mousse aux cerises	Vol. 9 p. 80
Mousse aux fraises	Vol. 3 p. 102
Mousse aux litchis	Vol. 18 p. 90
Mousse de marrons	Vol. 12 p. 105
Mousse de saumon	Vol. 22 p. 26
Mousse de sole	Vol. 25 p. 94
Mousse de tomates	Vol. 13 p. 82
Moutarde (Lapin à la)	Vol. 25 p. 56
Moutarde (Sauce à la)	Vol. 11 p. 22
Muffins à l'orange	Vol. 21 p. 86
Muffins au chocolat	Vol. 3 p. 42
Muffins au fromage	Vol. 19 p. 88
Muffins au germe de blé	Vol. 21 p. 88
Muffins au miel et au blé entier	Vol. 3 p. 43
Muffins au son et à la mélasse	Vol. 3 p. 44
Muffins aux dattes et au son	Vol. 3 p. 45

N

Noix (Avocats au)   Vol. 15 p. 78
Noix (Brioche aux — et aux
  cerises vertes   Vol. 9   p. 23
Noix (Poulet farci au céleri et aux)   Vol. 2   p. 50
Noix de coco (Friandises à la)   Vol. 18 p. 92
Noix de coco (Lapin à la)   Vol. 24 p. 80
Noix de coco (Tarte à la)   Vol. 19 p. 94
Nouilles (Riz aux)   Vol. 20 p. 40
Nouilles (Soupe au poulet et aux)   Vol. 11 p. 90
Nouilles (Soupe aux légumes et aux)   Vol. 20 p. 24
Nouilles (Soupe aux tomates et aux)   Vol. 11 p. 88
Nouilles au roquefort   Vol. 12 p. 46
Nouilles au thon   Vol. 14 p. 94
Nouilles aux foies de poulet   Vol. 2   p. 68

Index alphabétique

O

Œufs (Jambon et)	Vol. 20 p. 64
Œufs (Pain d' — et de saumon)	Vol. 16 p. 56
Œufs (Riz aux — et au jambon)	Vol. 18 p. 78
Œufs (Terrine de jambon et d')	Vol. 23 p. 42
Œufs (Tomates farcies aux)	Vol. 16 p. 61
Œufs antillais	Vol. 25 p. 54
Œufs au micro-ondes, une adaptation simple	Vol. 16 p. 10
Œufs bénédictine	Vol. 16 p. 42
Œufs brouillés (Croustade d')	Vol. 16 p. 64
Œufs brouillés au riz	Vol. 16 p. 53
Œufs brouillés au saumon fumé	Vol. 16 p. 50
Œufs en matelote	Vol. 16 p. 48
Œufs en ramequins (brunch)	Vol. 23 p. 61
Œufs en ramequins	Vol. 16 p. 54
Œufs jardinière	Vol. 16 p. 46
Œufs pochés en sauce tomate	Vol. 16 p. 45
Œufs pochés sur mousse d'asperges	Vol. 23 p. 40
Œufs surprise	Vol. 23 p. 24
Oie (Ragoût d')	Vol. 17 p. 62
Oie à la crème	Vol. 17 p. 64
Oie à la française	Vol. 7 p. 36
Oie au cognac	Vol. 7 p. 34
Oie aux pommes	Vol. 17 p. 60
Oignon (Cailles à l')	Vol. 7 p. 54
Oignon (Pommes de terre à l')	Vol. 13 p. 40
Oignon (Porc à l')	Vol. 14 p. 38
Oignon (Soupe au brocoli et à l')	Vol. 19 p. 30
Oignon gratinée (Soupe à l')	Vol. 11 p. 94
Oignons (Casserole d' — et de tomates)	Vol. 13 p. 78
Oignons à la crème	Vol. 15 p. 80
Oignons farcis	Vol. 13 p. 92
Oignons verts (Riz frit Tsung —)	Vol. 18 p. 76
Oignons verts (Roulé de dinde aux épinards et aux)	Vol. 2 p. 38
Olives (Bœuf aux)	Vol. 1 p. 68
Olives (Canard aux)	Vol. 7 p. 53
Omelette à la paysanne	Vol. 16 p. 24
Omelette au bœuf	Vol. 1 p. 74
Omelette au coulis de tomates	Vol. 23 p. 92
Omelette au poulet	Vol. 2 p. 88
Omelette au saumon	Vol. 16 p. 36

Omelette au thon	Vol. 5	**p. 74**
Omelette aux courgettes	Vol. 16	**p. 28**
Omelette aux fruits	Vol. 16	**p. 40**
Omelette aux pommes	Vol. 20	**p. 78**
Omelette campagnarde	Vol. 22	**p. 86**
Omelette du lundi	Vol. 16	**p. 32**
Omelette espagnole	Vol. 16	**p. 34**
Omelette flambée aux pommes	Vol. 16	**p. 38**
Omelette parmentier	Vol. 16	**p. 62**
Omelette printanière	Vol. 16	**p. 30**
Omelette provençale	Vol. 16	**p. 26**
Omelettes (Sauces et garnitures pour — cuites)	Vol. 16	**p. 58**
Orange (Agneau à l')	Vol. 10	**p. 70**
Orange (Bœuf à l')	Vol. 22	**p. 34**
Orange (Bœuf sauté à l')	Vol. 19	**p. 68**
Orange (Canardeau à l')	Vol. 2	**p. 44**
Orange (Charlotte à l')	Vol. 23	**p. 57**
Orange (Chou râpé à l')	Vol. 25	**p. 82**
Orange (Couronne à l')	Vol. 25	**p. 60**
Orange (Farce au riz et à l')	Vol. 12	**p. 80**
Orange (Jambon à l')	Vol. 22	**p. 61**
Orange (Muffins à l')	Vol. 21	**p. 86**
Orange (Poulet à l')	Vol. 2	**p. 66**
Oranges au vin	Vol. 21	**p. 96**
Orge (Soupe à l'— et aux légumes)	Vol. 11	**p. 86**
Orignal (Marinade pour l')	Vol. 17	**p. 56**
Orignal (Pain de viande d')	Vol. 17	**p. 72**
Orignal (Ragoût d')	Vol. 17	**p. 70**
Orignal (Rôti d')	Vol. 17	**p. 68**
Orignal à la crème (Boulettes d')	Vol. 17	**p. 76**
Orignal aux champignons	Vol. 17	**p. 74**
Osso bucco	Vol. 24	**p. 26**
Ours (Ragoût d')	Vol. 17	**p. 94**
Ours (Rôti d')	Vol. 17	**p. 92**

P

Pacanes (Tarte aux fruits et aux)	Vol. 13	p. 105
Pacanes (Tarte aux)	Vol. 3	p. 93
Paella	Vol. 6	p. 96
Paella aux légumes	Vol. 21	p. 61
Pain (Pouding au)	Vol. 9	p. 70
Pain (Sauce au)	Vol. 11	p. 28
Pain à l'ail	Vol. 22	p. 28
Pain au fromage et au riz	Vol. 16	p. 96
Pain aux épices et aux pommes	Vol. 3	p. 36
Pain blanc garni de graines de pavot	Vol. 3	p. 33
Pain d'épices (Bonshommes de)	Vol. 25	p. 105
Pain d'œufs et de saumon	Vol. 16	p. 56
Pain de blé entier	Vol. 3	p. 32
Pain de blé entier aux bananes	Vol. 3	p. 34
Pain de canneberges	Vol. 19	p. 100
Pain de foie	Vol. 21	p. 45
Pain de fromage et de saumon	Vol. 14	p. 88
Pain de jambon	Vol. 4	p. 36
Pain de saumon	Vol. 20	p. 68
Pain de saumon en anneau	Vol. 5	p. 36
Pain de veau	Vol. 10	p. 56
Pain de veau et de légumes	Vol. 21	p. 66
Pain de viande à l'ancienne	Vol. 8	p. 66
Pain de viande à l'italienne	Vol. 8	p. 82
Pain de viande à la sauce aigre-douce	Vol. 1	p. 83
Pain de viande à la sauce barbecue	Vol. 8	p. 68
Pain de viande à la sauce chili	Vol. 1	p. 84
Pain de viande aux épinards	Vol. 1	p. 80
Pain de viande aux pistaches	Vol. 24	p. 62
Pain de viande d'orignal	Vol. 17	p. 72
Pain de viande de caribou	Vol. 17	p. 90
Pain farci	Vol. 25	p. 20
Paleron de bœuf	Vol. 8	p. 40
Palourdes (Risotto aux)	Vol. 6	p. 50
Palourdes (Sauce aux)	Vol. 11	p. 44
Palourdes (Spaghettini aux)	Vol. 12	p. 26
Palourdes à l'orientale	Vol. 6	p. 68
Palourdes à la portugaise	Vol. 6	p. 70
Palourdes à la vapeur servies avec beurre à l'ail	Vol. 6	p. 66
Palourdes gratinées	Vol. 6	p. 74
Pamplemousse au rhum	Vol. 23	p. 51
Panais (Gratin de pommes de terre et de)	Vol. 25	p. 101
Parfait à la menthe	Vol. 7	p. 105
Parmesan (Aubergines au)	Vol. 16	p. 72
Parmesan (Sauce au)	Vol. 11	p. 22
Parmesan (Sauce blanche au)	Vol. 16	p. 58
Pâte à brioche	Vol. 9	p. 22
Pâté au porc	Vol. 4	p. 74
Pâté au poulet et aux poireaux	Vol. 23	p. 54
Pâté aux crevettes	Vol. 25	p. 102
Pâté chinois	Vol. 1	p. 93
Pâté de bœuf garni	Vol. 8	p. 64
Pâte sucrée	Vol. 9	p. 28
Pâtés au poulet	Vol. 7	p. 88
Pattes de crabe à la sauce citronnée	Vol. 6	p. 62
Pattes de porc (Ragoût de)	Vol. 25	p. 98
Pattes de porc (Ragoût de — (Québec))	Vol. 24	p. 102
Paupiettes de poulet	Vol. 22	p. 48
Paupiettes de veau	Vol. 10	p. 40
Pêches (Crème pâtissière au riz et aux)	Vol. 19	p. 96
Pêches (Demi — garnies de mousse de crevettes	Vol. 22	p. 100
Pêches (Jambon glacé aux)	Vol. 11	p. 53
Pêches (Poulet aux)	Vol. 7	p. 82
Pêches (Tarte aux)	Vol. 3	p. 91
Pêches farcies	Vol. 19	p. 92
Pelures de pommes de terre au saumon	Vol. 23	p. 91
Perchaude à la bière	Vol. 5	p. 84
Perche aux tomates	Vol. 5	p. 72
Perdrix (Choucroute à la)	Vol. 17	p. 32
Perdrix au chou	Vol. 17	p. 34
Perdrix au vin rouge	Vol. 17	p. 28
Perdrix aux fèves au lard	Vol. 17	p. 36
Perdrix aux truffes	Vol. 17	p. 30
Petit déjeuner du marmiton	Vol. 20	p. 44
Petits fours aux amandes	Vol. 18	p. 88
Petits gâteaux au fromage	Vol. 22	p. 94
Petits scones	Vol. 21	p. 94
Pétoncles (Ravioli aux — et au fenouil)	Vol. 12	p. 58
Pétoncles amandine	Vol. 14	p. 92
Pétoncles aux légumes	Vol. 21	p. 78

Porc (Côtelettes de — aux fines herbes)	Vol. 4	p. 61
Porc (Côtelettes de)	Vol. 4	p. 54
Porc (Côtelettes de — dorées)	Vol. 4	p. 50
Porc (Côtelettes de — en papillotes)	Vol. 4	p. 56
Porc (Côtelettes de — sur nid de macaroni)	Vol. 4	p. 70
Porc (Côtes de — à la sauce aigre-douce)	Vol. 4	p. 68
Porc (Émincé de — aux fines herbes)	Vol. 4	p. 72
Porc (Feuilles de laitue farcies au)	Vol. 18	p. 42
Porc (Filet Chiang Yu Wong (Sauce soja)	Vol. 18	p. 50
Porc (Mignons de — bordelaise)	Vol. 4	p. 76
Porc (Pâté au)	Vol. 4	p. 74
Porc (Ragoût de pattes de)	Vol. 25	p. 98
Porc (Ragoût de pattes de — (Québec))	Vol. 24	p. 102
Porc (Recettes dérivées de la préparation de)	Vol. 14	p. 26
Porc (Riz au — et aux légumes)	Vol. 12	p. 76
Porc (Rôti de — avec pommes de terre au jus)	Vol. 4	p. 22
Porc (Rôti de — en couronne)	Vol. 4	p. 104
Porc (Rôti de — farci aux pruneaux)	Vol. 4	p. 30
Porc (Rôti de — glacé)	Vol. 4	p. 24
Porc (Rôti de — ibérien)	Vol. 4	p. 28
Porc (Rôti de)	Vol. 25	p. 46
Porc (Terrine de foie de poulet et de)	Vol. 15	p. 94
Porc à l'oignon	Vol. 14	p. 38
Porc au fenouil	Vol. 4	p. 78
Porc au poivron	Vol. 14	p. 44
Porc aux châtaignes	Vol. 24	p. 66
Porc aux fines herbes	Vol. 14	p. 42
Porc aux poireaux	Vol. 14	p. 40
Porc aux pommes de terre douces	Vol. 24	p. 78
Porc aux pommes de terre sucrées	Vol. 4	p. 83
Porc aux pruneaux	Vol. 22	p. 58
Porc fermière	Vol. 4	p. 80
Porc haché au brocoli	Vol. 18	p. 48
Porc Kiang (gingembre)	Vol. 18	p. 45
Porc Mu-Shu (Porc Tsung)	Vol. 18	p. 26
Porc rôti au miel sur riz	Vol. 18	p. 38
Porc sauté aux champignons	Vol. 22	p. 62
Porc surprise	Vol. 4	p. 53
Porc Tsung	Vol. 18	p. 26
Pot-au-feu	Vol. 10	p. 82
Pot-au-feu de la Nouvelle Angleterre	Vol. 24	p. 94
Pot-en-feu aux fruits de mer	Vol. 24	p. 100
Potage à la citrouille	Vol. 19	p. 26
Potage à la purée de pois	Vol. 11	p. 66
Potage au céleri	Vol. 19	p. 34
Potage au crabe	Vol. 21	p. 28
Potage au poulet, jambon et riz	Vol. 24	p. 83
Potage aux carottes	Vol. 21	p. 32
Potage aux concombres et aux tomates	Vol. 21	p. 24
Potage aux légumes	Vol. 11	p. 88
Potage de cresson	Vol. 20	p. 28
Potage de poireaux	Vol. 1	p. 100
Potage du pêcheur	Vol. 19	p. 28
Pouding au citron et à l'ananas	Vol. 9	p. 71
Pouding au pain	Vol. 9	p. 70
Pouding au riz	Vol. 9	p. 66
Pouding au tapioca	Vol. 9	p. 68

Pouding boule de neige	Vol. 3	**p. 79**
Pouding chômeur	Vol. 3	**p. 78**
Pouding en fête	Vol. 23	**p. 96**
Pouding flambé au rhum	Vol. 3	**p. 76**
Pouding magie noire	Vol. 9	**p. 69**
Poulet au pot	Vol. 2	**p. 82**
Poulet (Brochettes de)	Vol. 2	**p. 70**
Poulet (Casserole de riz et de)	Vol. 18	**p. 80**
Poulet (Couscous au — et aux crevettes)	Vol. 2	**p. 96**
Poulet (Feuilles de chou farcies au)	Vol. 2	**p. 90**
Poulet (Fricassée de)	Vol. 7	**p. 90**
Poulet (Kai) aux arachides	Vol. 18	**p. 28**
Poulet (Nouilles aux foies de)	Vol. 2	**p. 68**
Poulet (Omelette au)	Vol. 2	**p. 88**
Poulet (Pâté au — et aux poireaux)	Vol. 23	**p. 54**
Poulet (Pâtés au)	Vol. 7	**p. 88**
Poulet (Paupiettes de)	Vol. 22	**p. 48**
Poulet (Poitrines de — en cocotte)	Vol. 2	**p. 76**
Poulet (Potage au — jambon et riz)	Vol. 24	**p. 83**
Poulet (Quiche au — et au brocoli)	Vol. 2	**p. 86**
Poulet (Recette de base de)	Vol. 2	**p. 58**
Poulet (Riz au)	Vol. 12	**p. 94**
Poulet (Riz pilaf au)	Vol. 2	**p. 59**
Poulet (Rouleaux de — au crabe)	Vol. 22	**p. 53**
Poulet (Salade de)	Vol. 2	**p. 57**
Poulet (Sandwich chaud au)	Vol. 7	**p. 86**
Poulet (Soupe au — et au jambon)	Vol. 11	**p. 84**
Poulet (Soupe au — et au riz)	Vol. 11	**p. 91**
Poulet (Soupe au — et aux nouilles)	Vol. 11	**p. 90**
Poulet (Soupe au — et aux pois mange-tout)	Vol. 18	**p. 83**
Poulet (Soupe au riz et aux foies de)	Vol. 11	**p. 86**
Poulet (Terrine de foie de — et de porc)	Vol. 15	**p. 94**
Poulet (Velouté de)	Vol. 11	**p. 28**
Poulet (Vol-au-vent au — et au riz)	Vol. 12	**p. 96**
Poulet à l'ail	Vol. 23	**p. 64**
Poulet à l'ail (Ailes de)	Vol. 2	**p. 72**
Poulet à l'italienne	Vol. 7	**p. 72**
Poulet à l'orange	Vol. 2	**p. 66**
Poulet à la chinoise	Vol. 22	**p. 46**
Poulet à la Kiev	Vol. 2	**p. 48**
Poulet à la king	Vol. 2	**p. 84**
Poulet à la sauce au piment et aux tomates	Vol. 24	**p. 76**
Poulet à la sauce Lo Chou (sauce soja)	Vol. 18	**p. 36**
Poulet à la sauce madère	Vol. 7	**p. 78**
Poulet au brocoli	Vol. 18	**p. 30**
Poulet au champagne	Vol. 7	**p. 76**
Poulet au citron	Vol. 2	**p. 64**
Poulet au cumin	Vol. 22	**p. 44**
Poulet au gingembre	Vol. 2	**p. 80**
Poulet au safran	Vol. 2	**p. 52**
Poulet au vin et aux fines herbes	Vol. 2	**p. 62**
Poulet au yaourt et aux champignons	Vol. 21	**p. 58**
Poulet aux abricots	Vol. 19	**p. 58**
Poulet aux arachides	Vol. 18	**p. 28**
Poulet aux carottes, sauce au sésame	Vol. 24	**p. 70**

Index alphabétique

Pétoncles citronnés aux épinards	Vol. 19	p. 78
Pétoncles en coquilles	Vol. 6	p. 53
Pétoncles en sauce	Vol. 15	p. 24
Pétoncles Tsao Ku	Vol. 18	p. 61
Pilaf de poisson	Vol. 21	p. 76
Pintade aux framboises	Vol. 7	p. 104
Pistaches (Pain de viande aux)	Vol. 24	p. 62
Pistaches (Poulet aux)	Vol. 7	p. 68
Pistou (Sauce au)	Vol. 11	p. 44
Pizza (Mini — à l'italienne)	Vol. 14	p. 102
Pizza (Mini — à la napolitaine)	Vol. 14	p. 101
Pizzas (Mini — (enfants))	Vol. 20	p. 82
Pizzas (Mini —)	Vol. 16	p. 98
Pizza (Sauce tomate pour)	Vol. 11	p. 42
Pizza aux fruits	Vol. 25	p. 50
Pizza-soufflé	Vol. 16	p. 90
Pizzas	Vol. 20	p. 48
Pizzas aux crevettes	Vol. 14	p. 105
Plum-pudding	Vol. 24	p. 54
Poireau (Soupe de poisson et de)	Vol. 11	p. 78
Poireaux (Crème de — et de brocoli)	Vol. 21	p. 36
Poireaux (Crème de)	Vol. 11	p. 72
Poireaux (Flan aux)	Vol. 13	p. 94
Poireaux (Maquereaux aux)	Vol. 5	p. 66
Poireaux (Pâté au poulet et aux)	Vol. 23	p. 54
Poireaux (Porc aux)	Vol. 14	p. 40
Poireaux (Potage de)	Vol. 1	p. 100
Poireaux marinés	Vol. 15	p. 100
Poireaux servis sur lit de nouilles	Vol. 15	p. 82
Poires (Sauce aux canneberges et aux)	Vol. 2	p. 101
Poires (Soupe aux — et au cresson)	Vol. 23	p. 71
Poires Alma	Vol. 9	p. 53
Poires au sirop d'érable	Vol. 9	p. 54
Poires au vin rouge	Vol. 9	p. 52
Poires glacées	Vol. 21	p. 90
Poires pochées au coulis de framboises	Vol. 5	p. 105
Pois (Casserole d'artichauts et de petits)	Vol. 13	p. 83
Pois (Casserole de cailles aux petits)	Vol. 7	p. 61
Pois (Potage à la purée de)	Vol. 11	p. 66
Pois (Soupe aux)	Vol. 11	p. 96
Pois chiches (Ratatouille de)	Vol. 19	p. 42
Pois mange-tout (Soupe au poulet et aux)	Vol. 18	p. 83
Pois verts (Garniture aux)	Vol. 16	p. 60
Poisson (Bouillon de)	Vol. 11	p. 59
Poisson (Brochettes de — et de fruits)	Vol. 5	p. 58
Poisson (Chaudrée de — et de courgettes)	Vol. 5	p. 56
Poisson (Croquettes de — à la crème de crevettes	Vol. 5	p. 92
Poisson (Pilaf de)	Vol. 21	p. 76
Poisson (Sauce au fumet de)	Vol. 16	p. 58
Poisson (Soupe de — et de poireau)	Vol. 11	p. 78
Poisson en papillotes	Vol. 24	p. 50
Poisson grillé à la coriandre	Vol. 24	p. 60
Poitrines de canard au cidre	Vol. 17	p. 46
Poitrines de poulet divan	Vol. 7	p. 80
Poitrines de poulet en cocotte	Vol. 2	p. 76
Poitrines de poulet suprême	Vol. 2	p. 74

Index alphabétique

Poivre (Sauce au)	Vol. 11	**p. 48**
Poivron (Porc au)	Vol. 14	**p. 44**
Poivron vert (Bœuf au)	Vol. 8	**p. 78**
Poivron vert (Rutabaga et — au fromage)	Vol. 13	**p. 53**
Poivrons (Bifteck aux)	Vol. 8	**p. 48**
Poivrons (Bœuf aux)	Vol. 18	**p. 100**
Poivrons (Sauce aux)	Vol. 11	**p. 28**
Poivrons en canapés	Vol. 13	**p. 80**
Poivrons farcis	Vol. 1	**p. 95**
Pomme au four	Vol. 20	**p. 98**
Pommes (Bagatelle aux)	Vol. 9	**p. 72**
Pommes (Biscuits à la compote de)	Vol. 9	**p. 49**
Pommes (Brioches aux)	Vol. 9	**p. 25**
Pommes (Canard aux)	Vol. 17	**p. 48**
Pommes (Compote de)	Vol. 9	**p. 88**
Pommes (Crêpes aux)	Vol. 9	**p. 99**
Pommes (Croustades aux — et à la noix de coco)	Vol. 9	**p. 50**
Pommes (Croustillant aux)	Vol. 3	**p. 103**
Pommes (Oie aux)	Vol. 17	**p. 60**
Pommes (Omelette flambée aux)	Vol. 16	**p. 38**
Pommes (Omelettes aux)	Vol. 20	**p. 78**
Pommes (Pain aux épices et aux)	Vol. 3	**p. 36**
Pommes (Sauce aux)	Vol. 11	**p. 54**
Pommes (Saucisses aux)	Vol. 4	**p. 88**
Pommes (Tarte aux)	Vol. 3	**p. 86**
Pommes (Tartignole aux — et aux raisins	Vol. 19	**p. 90**
Pommes au caramel	Vol. 9	**p. 48**
Pommes chaudes au gruyère	Vol. 23	**p. 27**
Pommes de terre «en deux temps»	Vol. 13	**p. 38**
Pommes de terre (Gratin de — et de panais	Vol. 25	**p. 101**
Pommes de terre (Pelures de — au saumon)	Vol. 23	**p. 91**
Pommes de terre (Salade de — aux crevettes)	Vol. 23	**p. 70**
Pommes de terre à l'oignon	Vol. 13	**p. 40**
Pommes de terre au fond de veau	Vol. 13	**p. 34**
Pommes de terre au four	Vol. 13	**p. 32**
Pommes de terre douces (Porc au)	Vol. 24	**p. 78**
Pommes de terre en escalopes	Vol. 13	**p. 36**
Pommes de terre en robe des champs	Vol. 20	**p. 28**
Pommes de terre farcies	Vol. 13	**p. 30**
Pommes de terre farcies à l'ail	Vol. 15	**p. 103**
Pommes de terre farcies au fromage	Vol. 15	**p. 102**
Pommes de terre farcies aux sardines	Vol. 15	**p. 58**
Pommes de terre persillées	Vol. 13	**p. 28**
Pommes de terre sucrées (Porc aux)	Vol. 4	**p. 83**
Porc (Boulettes de)	Vol. 18	**p. 46**
Porc (Brochettes de — et de pruneaux	Vol. 4	**p. 66**
Porc (Chop suey au)	Vol. 4	**p. 96**
Porc (Chop suey au)	Vol. 18	**p. 53**
Porc (Choucroute et	Vol. 4	**p. 94**
Porc (Côtelettes de — à la napolitaine)	Vol. 4	**p. 64**
Porc (Côtelettes de — à la normande)	Vol. 4	**p. 58**
Porc (Côtelettes de — à la sauce piquante)	Vol. 4	**p. 62**

Index alphabétique

Poulet aux champignons (morceaux)	Vol. 19	p. 62
Poulet aux champignons (poitrines)	Vol. 14	p. 84
Poulet aux fines herbes	Vol. 21	p. 56
Poulet aux fruits	Vol. 18	p. 32
Poulet aux pêches	Vol. 7	p. 82
Poulet aux pistaches	Vol. 7	p. 68
Poulet aux quarante gousses	Vol. 7	p. 66
Poulet cacciatore	Vol. 2	p. 94
Poulet chasseur	Vol. 7	p. 92
Poulet citronné au persil	Vol. 2	p. 78
Poulet de Cornouailles farci	Vol. 22	p. 50
Poulet divan	Vol. 20	p. 60
Poulet divan (Poitrines de)	Vol. 7	p. 80
Poulet en casserole	Vol. 7	p. 94
Poulet farci au céleri et aux noix	Vol. 2	p. 50
Poulet farci au fromage	Vol. 19	p. 56
Poulet grand-père	Vol. 2	p. 60
Poulet laqué au miel	Vol. 18	p. 24
Poulet parmigiana	Vol. 7	p. 70
Poulet rôti à l'origan	Vol. 7	p. 74
Poulet sauté à la crème sure	Vol. 7	p. 96
Poulet sauté aux légumes	Vol. 7	p. 83
Poulet suprême (Poitrines de)	Vol. 2	p. 74
Poulet sur croissant	Vol. 7	p. 84
Poulets de Cornouailles aux cerises noires	Vol. 7	p. 62
Poulets de Cornouailles farcis à la saucisse	Vol. 7	p. 64
Préparations de base des hors-d'œuvre chauds	Vol. 15	p. 12
Pruneaux (Brochettes de porc et de)	Vol. 4	p. 66
Pruneaux (Porc aux)	Vol. 22	p. 58
Pruneaux (Rôti de porc farci aux)	Vol. 4	p. 30
Prunes (Sauce aux)	Vol. 18	p. 68
Punch à l'ananas et aux fraises	Vol. 23	p. 97
Punch au champagne	Vol. 25	p. 16
Punch aux fruits	Vol. 25	p. 16
Punch de Noël	Vol. 25	p. 17
Punch des enfants	Vol. 23	p. 86
Punch doré	Vol. 23	p. 36
Punch flamboyant	Vol. 25	p. 15
Punch japonais	Vol. 25	p. 17

Queues de homard farcies	Vol. 6	**p. 30**	Quiche au poulet et au brocoli	Vol. 2 **p. 86**
Quiche à la hambourgeoise	Vol. 8	**p. 90**	Quiche au riz	Vol. 12 **p. 74**
Quiche au brocoli et au fromage	Vol. 16	**p. 86**	Quiche au tofu	Vol. 13 **p. 101**
Quiche au chou	Vol. 13	**p. 54**	Quiche aux fruits de mer	Vol. 6 **p. 90**
Quiche au chou-fleur	Vol. 15	**p. 72**	Quiche-miche	Vol. 20 **p. 52**
Quiche au crabe	Vol. 16	**p. 88**		

R

Ragoût chasseur	Vol. 24	p. 46	Risotto à la milanaise	Vol. 12	p. 92
Ragoût d'agneau	Vol. 10	p. 96	Risotto aux crevettes	Vol. 19	p. 76
Ragoût d'agneau au céleri	Vol. 10	p. 83	Risotto aux langoustines	Vol. 24	p. 28
Ragoût d'aubergines au homard	Vol. 15	p. 36	Risotto aux palourdes	Vol. 6	p. 50
Ragoût d'oie	Vol. 17	p. 62	Riz (Casserole de — et de poulet)	Vol. 18	p. 80
Ragoût d'orignal	Vol. 17	p. 70	Riz (Crème pâtissière au —		
Ragoût d'ours	Vol. 17	p. 94	et aux pêches)	Vol. 19	p. 96
Ragoût de bœuf à la mexicaine	Vol. 19	p. 66	Riz (Farce au — et à l'orange)	Vol. 12	p. 80
Ragoût de bœuf haché	Vol. 8	p. 56	Riz (Farce au — et aux légumes)	Vol. 12	p. 78
Ragoût de chevreuil	Vol. 17	p. 86	Riz (Pain au fromage et au)	Vol. 16	p. 96
Ragoût de dinde	Vol. 2	p. 32	Riz (Potage au poulet, jambon et —)	Vol. 24	p. 83
Ragoût de morue	Vol. 14	p. 90	Riz (Pouding au)	Vol. 9	p. 66
Ragoût de pattes de porc	Vol. 25	p. 98	Riz (Quiche au)	Vol. 12	p. 74
Ragoût de pattes de porc (Québec)	Vol. 24	p. 102	Riz (Salade de homard et de)	Vol. 12	p. 84
Raifort (Sauce au)	Vol. 11	p. 24	Riz (Salade de)	Vol. 23	p. 100
Raisins (Mousse aux)	Vol. 9	p. 82	Riz (Soupe au poulet et au)	Vol. 11	p. 91
Raisins (Biscuits aux — à l'ancienne)	Vol. 3	p. 26	Riz (Soupe au — et aux foies de poulet)	Vol. 11	p. 86
Raisins (Sauce aux)	Vol. 11	p. 54	Riz (Tomates farcies au)	Vol. 15	p. 62
Raisins (Tartignole aux			Riz (Vol-au-vent au poulet et au)	Vol. 12	p. 96
pommes et aux)	Vol. 19	p. 90	Riz à l'indienne	Vol. 12	p. 86
Raisins verts (Cailles aux)	Vol. 2	p. 46	Riz au citron	Vol. 12	p. 82
Raisins verts (Doré farci aux)	Vol. 5	p. 50	Riz au porc et aux légumes	Vol. 12	p. 76
Ramequin de bœuf	Vol. 1	p. 76	Riz au poulet	Vol. 12	p. 94
Ratatouille	Vol. 13	p. 66	Riz au safran	Vol. 12	p. 90
Ratatouille	Vol. 21	p. 40	Riz au tofu à la mode orientale	Vol. 19	p. 46
Ratatouille de pois chiches	Vol. 19	p. 42	Riz aux amandes	Vol. 12	p. 83
Ravioli (Soupe aux)	Vol. 12	p. 56	Riz aux légumes	Vol. 12	p. 88
Ravioli aux pétoncles et au fenouil	Vol. 12	p. 58	Riz aux nouilles	Vol. 20	p. 40
Recette de base de poulet	Vol. 2	p. 58	Riz aux œufs et au jambon	Vol. 18	p. 78
Recettes de base pour boulettes	Vol. 1	p. 90	Riz brun (Salade de —		
Recettes dérivées de la			aux champignons)	Vol. 12	p. 101
préparation de bœuf	Vol. 14	p. 24	Riz frit à la sauce soja	Vol. 18	p. 74
Recettes dérivées de la			Riz frit aux crevettes	Vol. 12	p. 70
préparation de dinde	Vol. 14	p. 28	Riz frit Tsung (oignons verts)	Vol. 18	p. 76
Recettes dérivées de la			Riz pilaf	Vol. 12	p. 68
préparation de porc	Vol. 14	p. 26	Riz pilaf au poulet	Vol. 2	p. 59
Rhubarbe (Compote de)	Vol. 9	p. 92	Riz sauvage	Vol. 12	p. 72
Rhubarbe (Tourte à la)	Vol. 23	p. 46	Riz vapeur	Vol. 18	p. 101
Rhum (Babas au)	Vol. 9	p. 74	Rognons de bœuf	Vol. 8	p. 80
Rhum (Pamplemousse au)	Vol. 23	p. 51	Romarin (Gigot d'agneau au)	Vol. 10	p. 74
Rhum (Pouding flambé au)	Vol. 3	p. 76	Roquefort (Nouilles au)	Vol. 12	p. 46
Rillettes maison	Vol. 4	p. 82	Rosbif aux fines herbes	Vol. 8	p. 22

Rosbif d'épaule désossé	Vol. 8	**p. 24**	Rôti de veau de lait	Vol. 10 p. 20
Rosbif de côtes croisées	Vol. 1	**p. 32**	Rouget en papillotes	Vol. 5 **p. 90**
Rosbif de surlonge roulé	Vol. 25 **p. 66**		Rougets en sauce tomate	Vol. 15 p. 90
Rosbif sauce moutarde	Vol. 23 **p. 72**		Roulades de bœuf à la moutarde	Vol. 1 **p. 48**
Rôti d'agneau au madère	Vol. 10 **p. 84**		Roulades de bœuf braisé	Vol. 24 p. 40
Rôti d'épaule de veau au chou	Vol. 10 **p. 24**		Roulades de sole sauce tropicale	Vol. 5 **p. 48**
Rôti d'orignal	Vol. 17 **p. 68**		Roulades de veau	Vol. 24 p. 90
Rôti d'ours	Vol. 17 **p. 92**		Roulé de dinde aux épinards et	
Rôti de caribou	Vol. 17 **p. 88**		aux oignons verts	Vol. 2 **p. 38**
Rôti de croupe de veau aux épices	Vol. 10 **p. 30**		Roulé de veau	Vol. 10 **p. 104**
Rôti de porc	Vol. 25 **p. 46**		Rouleaux de jambon et de brocoli	Vol. 25 **p. 44**
Rôti de porc avec pommes de			Rouleaux de poulet au crabe	Vol. 22 **p. 53**
terre au jus	Vol. 4	**p. 22**	Roulés au jambon	Vol. 15 **p. 48**
Rôti de porc en couronne	Vol. 4	**p. 104**	Roulés de bœuf au saucisson	
Rôti de porc farci aux pruneaux	Vol. 4	**p. 30**	de Bologne	Vol. 22 p. 36
Rôti de porc glacé	Vol. 4	**p. 24**	Rutabaga (Crème de)	Vol. 21 p. 30
Rôti de porc ibérien	Vol. 4	**p. 28**	Rutabaga et poivron vert au fromage	Vol. 13 p. 53
Rôti de veau	Vol. 10 **p. 22**			

S

Salade campenoise	Vol. 23 **p. 60**
Salade d'ananas	Vol. 23 **p. 46**
Salade d'épinards	Vol. 8 **p. 101**
Salade de bœuf	Vol. 14 **p. 76**
Salade de champignons et d'artichauts	Vol. 13 **p. 86**
Salade de champignons et de chou-fleur	Vol. 22 **p. 101**
Salade de chou	Vol. 23 **p. 20**
Salade de concombres	Vol. 10 **p. 100**
Salade de crabe sur croissant	Vol. 6 **p. 64**
Salade de fruits	Vol. 8 **p. 105**
Salade de fruits chaude	Vol. 23 **p. 105**
Salade de homard et de riz	Vol. 12 **p. 84**
Salade de la mer	Vol. 6 **p. 48**
Salade de laitues	Vol. 4 **p. 100**
Salade de légumes	Vol. 23 **p. 101**
Salade de lotus	Vol. 18 **p. 96**
Salade de macaroni	Vol. 23 **p. 30**
Salade de Noël	Vol. 25 **p. 96**
Salade de pommes de terre aux crevettes	Vol. 23 **p. 70**
Salade de poulet	Vol. 2 **p. 57**
Salade de riz	Vol. 23 **p. 100**
Salade de riz brun aux champignons	Vol. 12 **p. 101**
Salade de tomates	Vol. 23 **p. 60**
Salade verte	Vol. 13 **p. 104**
Sandwich chaud au poulet	Vol. 7 **p. 86**
Sandwich pita à la mexicaine	Vol. 19 **p. 72**
Sandwichs pita aux boulettes d'agneau	Vol. 21 **p. 70**
Sangria	Vol. 25 **p. 17**
Sardines (Entrée de)	Vol. 15 **p. 30**
Sardines (Pommes de terre farcies aux)	Vol. 15 **p. 58**
Sauce à l'aneth et au concombre	Vol. 11 **p. 18**
Sauce à l'italienne (boulettes)	Vol. 1 **p. 88**
Sauce à l'italienne	Vol. 11 **p. 50**
Sauce à la crème sure	Vol. 11 **p. 36**
Sauce à la diable	Vol. 11 **p. 32**
Sauce à la moutarde	Vol. 11 **p. 22**
Sauce à la viande (Spaghetti)	Vol. 12 **p. 22**
Sauce aigre-douce	Vol. 11 **p. 18**
Sauce au beurre citronné	Vol. 11 **p. 36**
Sauce au beurre et à l'aneth	Vol. 11 **p. 18**
Sauce au cari	Vol. 11 **p. 30**
Sauce au citron	Vol. 11 **p. 20**
Sauce au consommé de bœuf	Vol. 17 **p. 58**
Sauce au cresson	Vol. 11 **p. 20**
Sauce au fenouil	Vol. 11 **p. 48**
Sauce au fumet de poisson	Vol. 16 **p. 58**
Sauce au madère	Vol. 11 **p. 32**
Sauce au pain	Vol. 11 **p. 28**
Sauce au parmesan	Vol. 11 **p. 22**
Sauce au pistou	Vol. 11 **p. 44**
Sauce au poivre	Vol. 11 **p. 48**
Sauce au raifort	Vol. 11 **p. 24**
Sauce aux anchois	Vol. 11 **p. 42**
Sauce aux canneberges	Vol. 11 **p. 30**
Sauce aux canneberges et aux poires	Vol. 2 **p. 101**
Sauce aux câpres	Vol. 11 **p. 25**
Sauce aux champignons	Vol. 17 **p. 58**
Sauce aux épinards	Vol. 11 **p. 43**
Sauce aux légumes à l'italienne	Vol. 16 **p. 59**
Sauce aux litchis	Vol. 18 **p. 70**
Sauce aux palourdes	Vol. 11 **p. 44**
Sauce aux poivrons	Vol. 11 **p. 28**
Sauce aux pommes	Vol. 11 **p. 54**
Sauce aux prunes	Vol. 18 **p. 68**
Sauce aux raisins	Vol. 11 **p. 54**
Sauce barbecue	Vol. 11 **p. 48**
Sauce bâtarde	Vol. 11 **p. 36**
Sauce béarnaise	Vol. 1 **p. 35**
Sauce Béchamel	Vol. 11 **p. 13**
Sauce blanche au parmesan	Vol. 16 **p. 58**
Sauce blanche liée avec des œufs	Vol. 15 **p. 17**
Sauce bordelaise	Vol. 1 **p. 34**
Sauce brune	Vol. 11 **p. 48**
Sauce d'accompagnement pour canard	Vol. 17 **p. 58**
Sauce espagnole au vin rouge	Vol. 11 **p. 22**
Sauce hollandaise	Vol. 11 **p. 12**
Sauce hollandaise à la Chantilly	Vol. 11 **p. 36**
Sauce Mariana	Vol. 11 **p. 43**
Sauce Mornay	Vol. 11 **p. 14**

Sauce Newburg	Vol. 11	**p. 24**
Sauce polonaise	Vol. 11	**p. 38**
Sauce provençale	Vol. 11	**p. 25**
Sauce rose	Vol. 11	**p. 38**
Sauce rouge	Vol. 18	**p. 72**
Sauce Soubise	Vol. 11	**p. 24**
Sauce tartare	Vol. 11	**p. 18**
Sauce Teriyaki	Vol. 11	**p. 50**
Sauce tomate pour pizza	Vol. 11	**p. 42**
Sauce Vaucluse	Vol. 11	**p. 28**
Sauce veloutée	Vol. 16	**p. 58**
Sauces (Glaces et — pour la dinde)	Vol. 2	**p. 23**
Sauces et assaisonnements pour la volaille	Vol. 2	**p. 20**
Sauces et farces	Vol. 17	**p. 58**
Sauces et garnitures pour omelettes cuites	Vol. 16	**p. 58**
Sauces froides pour hors-d'œuvre froids	Vol. 15	**p. 14**
Saucisse (Boulettes de chair à)	Vol. 14	**p. 80**
Saucisse (Fricassée à la)	Vol. 4	**p. 90**
Saucisse (Poulets de Cornouailles farcis à la)	Vol. 7	**p. 64**
Saucisses (Brochettes de)	Vol. 20	**p. 56**
Saucisses aux pommes	Vol. 4	**p. 88**
Saucisses de bœuf	Vol. 8	**p. 74**
Saucisses de bœuf avec haricots	Vol. 8	**p. 96**
Saucisses épicées	Vol. 15	**p. 45**
Saucisses et bacon	Vol. 23	**p. 80**
Saucisson de bologne (Roulés de bœuf au)	Vol. 22	**p. 36**
Saumon (Darnes de — à la duxelles)	Vol. 5	**p. 32**
Saumon (Lasagne au)	Vol. 12	**p. 40**
Saumon (Manicotti au)	Vol. 5	**p. 34**
Saumon (Mousse de)	Vol. 22	**p. 26**
Saumon (Omelette au)	Vol. 16	**p. 36**
Saumon (Pain d'œufs et de)	Vol. 16	**p. 56**
Saumon (Pain de fromage et de)	Vol. 14	**p. 88**
Saumon (Pain de — en anneau)	Vol. 5	**p. 36**
Saumon (Pain de)	Vol. 20	**p. 68**
Saumon (Pelures de pommes de terre au)	Vol. 23	**p. 91**
Saumon (Vol-au-vent au)	Vol. 8	**p. 100**
Saumon à l'armagnac	Vol. 25	**p. 34**
Saumon en croûte	Vol. 5	**p. 30**
Saumon entier farci aux crevettes	Vol. 5	**p. 28**
Saumon fumé (Œufs brouillés au)	Vol. 16	**p. 50**
Saumon, sauce à l'aneth	Vol. 21	**p. 80**
Sauté d'huîtres aux champignons	Vol. 6	**p. 78**
Sauté de lapin au vin blanc	Vol. 24	**p. 20**
Sauté de veau marengo	Vol. 10	**p. 48**
Sébaste (Filets de — sur lit d'épinards)	Vol. 5	**p. 64**
Sébaste aux fines herbes	Vol. 5	**p. 62**
Shortcake aux fraises	Vol. 3	**p. 60**
Sole (Filets de — à la créole)	Vol. 22	**p. 74**
Sole (Filets de — amandine)	Vol. 5	**p. 45**
Sole (Filets de — aux crevettes)	Vol. 22	**p. 72**
Sole (Filets de — farcis)	Vol. 5	**p. 42**
Sole (Filets de — panés à l'italienne)	Vol. 5	**p. 46**

Sole (Mousse de)	Vol. 25	**p. 94**
Sole (Roulades de — sauce tropicale)	Vol. 5	**p. 48**
Son (Muffins au — et à la mélasse)	Vol. 3	**p. 44**
Son (Muffins aux dattes et au)	Vol. 3	**p. 45**
Sorbet au gingembre et aux mandarines	Vol. 9	**p. 62**
Sorbet aux fraises	Vol. 2	**p. 105**
Sorbet aux tomates	Vol. 6	**p. 100**
Soufflé aux tomates	Vol. 22	**p. 30**
Soupe à l'oignon gratinée	Vol. 11	**p. 94**
Soupe à l'orge et aux légumes	Vol. 11	**p. 86**
Soupe à la morue	Vol. 11	**p. 78**
Soupe au bœuf	Vol. 21	**p. 26**
Soupe au bœuf épicée	Vol. 24	**p. 72**
Soupe au brocoli et à l'oignon	Vol. 19	**p. 30**
Soupe au chou	Vol. 11	**p. 93**
Soupe au chou-fleur	Vol. 11	**p. 67**
Soupe au fromage	Vol. 16	**p. 76**
Soupe au jambon et au cresson	Vol. 11	**p. 84**
Soupe au maïs	Vol. 18	**p. 82**
Soupe au poulet et au jambon	Vol. 11	**p. 84**
Soupe au poulet et au riz	Vol. 11	**p. 91**
Soupe au poulet et aux nouilles	Vol. 11	**p. 90**
Soupe au poulet et aux pois mange-tout	Vol. 18	**p. 83**
Soupe au riz et aux foies de poulet	Vol. 11	**p. 86**
Soupe aux gourganes	Vol. 19	**p. 24**
Soupe aux huîtres	Vol. 11	**p. 80**
Soupe aux légumes	Vol. 2	**p. 100**
Soupe aux légumes et aux nouilles	Vol. 20	**p. 24**
Soupe aux lentilles (légumes)	Vol. 13	**p. 100**
Soupe aux lentilles	Vol. 11	**p. 92**
Soupe aux lentilles et aux tomates	Vol. 19	**p. 32**
Soupe aux poires et au cresson	Vol. 23	**p. 71**
Soupe aux pois	Vol. 11	**p. 96**
Soupe aux ravioli	Vol. 12	**p. 56**
Soupe aux tomates et aux nouilles	Vol. 11	**p. 88**
Soupe de poisson et de poireau	Vol. 11	**p. 78**
Soupe légère au cresson	Vol. 23	**p. 30**
Soupe minestrone (bouillon au bœuf)	Vol. 11	**p. 96**
Soupe minestrone (bouillon au poulet)	Vol. 21	**p. 34**
Soupe Tong-Kow	Vol. 18	**p. 96**
Spaghetti à la sauce au thon	Vol. 12	**p. 28**
Spaghetti carbonara	Vol. 12	**p. 24**
Spaghetti sauce à la viande	Vol. 12	**p. 22**
Spaghettini à l'ail	Vol. 12	**p. 30**
Spaghettini à l'aubergine	Vol. 14	**p. 96**
Spaghettini aux fruits de mer	Vol. 6	**p. 82**
Spaghettini aux légumes	Vol. 20	**p. 72**
Spaghettini aux palourdes	Vol. 12	**p. 26**
Sucre (Tarte au)	Vol. 3	**p. 88**
Sucre à la crème	Vol. 20	**p. 102**
Surprise au yaourt	Vol. 8	**p. 53**

T

Tagliatelles à la tomate	Vol. 24	p. 30
Tapioca (Pouding au)	Vol. 9	p. 68
Tarte à l'érable	Vol. 23	p. 56
Tarte à la citrouille	Vol. 25	p. 79
Tarte à la crème d'érable	Vol. 3	p. 92
Tarte à la noix de coco	Vol. 19	p. 94
Tarte au citron et à la meringue	Vol. 3	p. 94
Tarte au sucre	Vol. 3	p. 88
Tarte aux bleuets	Vol. 24	p. 105
Tarte aux fraises	Vol. 3	p. 90
Tarte aux fruits	Vol. 21	p. 92
Tarte aux fruits et aux pacanes	Vol. 13	p. 105
Tartes aux pacanes	Vol. 3	p. 93
Tarte aux pêches	Vol. 3	p. 91
Tarte aux pommes	Vol. 3	p. 86
Tartignole aux pommes et aux raisins	Vol. 19	p. 90
Tartinade au fromage	Vol. 16	p. 68
Terrine au cognac	Vol. 23	p. 74
Terrine de brocoli	Vol. 21	p. 42
Terrine de foie de poulet et de porc	Vol. 15	p. 94
Terrine de jambon et d'œufs	Vol. 23	p. 42
Tête en fromage	Vol. 15	p. 96
Tetrazzini au thon	Vol. 5	p. 78
Thon (Darnes de — à la sauce hollandaise)	Vol. 5	p. 76
Thon (Daube de)	Vol. 24	p. 84
Thon (Gratin au)	Vol. 5	p. 80
Thon (Nouilles au)	Vol. 14	p. 94
Thon (Omelette au)	Vol. 5	p. 74
Thon (Spaghetti à la sauce au)	Vol. 12	p. 28
Thon (Tetrazzini au)	Vol. 5	p. 78
Thon à la florentine	Vol. 19	p. 74
Timbale au bœuf	Vol. 8	p. 92
Tofu (Gâteau au)	Vol. 21	p. 100
Tofu (Quiche au)	Vol. 13	p. 101
Tofu (Riz au — à la mode orientale)	Vol. 19	p. 46
Tomate (Boisson à la)	Vol. 23	p. 66
Tomate (Sauce — pour pizza)	Vol. 11	p. 42
Tomate (Tagliatelles à la)	Vol. 24	p. 30
Tomates (Casserole d'oignons et de)	Vol. 13	p. 78
Tomates (Coquilles de courgettes aux)	Vol. 19	p. 50
Tomates (Flan au fromage et aux)	Vol. 16	p. 92
Tomates (Fondue d'aubergines et de)	Vol. 15	p. 64
Tomates (Gâteau aux)	Vol. 9	p. 44
Tomates (Ketchup aux)	Vol. 13	p. 74
Tomates (Linguine aux crevettes et aux)	Vol. 21	p. 82
Tomates (Mousse de)	Vol. 13	p. 82
Tomates (Omelette au coulis de)	Vol. 23	p. 92
Tomates (Perche aux)	Vol. 5	p. 72
Tomates (Potage aux concombres et aux)	Vol. 21	p. 24
Tomates (Salade de)	Vol. 23	p. 60
Tomates (Sorbet aux)	Vol. 6	p. 100
Tomates (Soufflé aux)	Vol. 22	p. 30
Tomates (Soupe aux lentilles et aux)	Vol. 19	p. 32
Tomates (Soupe aux — et aux nouilles)	Vol. 11	p. 88
Tomates à l'italienne	Vol. 23	p. 70
Tomates à la provençale	Vol. 13	p. 76
Tomates farcies	Vol. 17	p. 104
Tomates farcies à la dinde	Vol. 2	p. 41
Tomates farcies au riz	Vol. 15	p. 62
Tomates farcies aux œufs	Vol. 16	p. 61
Tortellini à la crème	Vol. 12	p. 54
Tourte à la rhubarbe	Vol. 23	p. 46
Tourte aux légumes	Vol. 23	p. 62
Tourtière	Vol. 25	p. 100
Tourtière québécoise	Vol. 4	p. 86
Trempettes	Vol. 23	p. 80
Truffes (Perdrix aux)	Vol. 17	p. 30
Truite au bleu	Vol. 5	p. 38
Truite saumonnée au vin rouge	Vol. 5	p. 104
Truites à la crème sûre	Vol. 5	p. 40
Truites aux amandes	Vol. 24	p. 22
Truites aux câpres	Vol. 22	p. 104
Truites Mi-Chiu (saké)	Vol. 18	p. 64
Tutti frutti à la crème pâtissière	Vol. 3	p. 98

V

Vanille (Crème à la)   Vol. 3   **p. 80**
Vanille (Garniture à la)   Vol. 3   **p. 72**
Variations sur le thème de la farce   Vol. 2   **p. 105**
Veau (Blanquette de)   Vol. 10 **p. 52**
Veau (Cannelloni au — et
    aux épinards)   Vol. 12 **p. 50**
Veau (Casserole de)   Vol. 10 **p. 28**
Veau (Cervelle de)   Vol. 10 **p. 58**
Veau (Émincé de — à la crème)   Vol. 25 **p. 76**
Veau (Escalopes de — à la crème)   Vol. 12 **p. 104**
Veau (Escalopes de — cordon bleu)   Vol. 10 **p. 45**
Veau (Escalopes de —)   Vol. 19 **p. 64**

Veau (Escalopes de veau parmigiana)   Vol. 10 **p. 42**
Veau (Farce de — et d'épinards)   Vol. 12 **p. 52**
Veau (Filet de — à la compote
    de fruits)   Vol. 10 **p. 38**
Veau (Filet de — accompagné de riz)   Vol. 14 **p. 82**
Veau (Foie de)   Vol. 10 **p. 34**
Veau (Fricassée de —)   Vol. 10 **p. 54**
Veau (Galantine de)   Vol. 10 **p. 50**
Veau (Jarret de)   Vol. 10 **p. 36**
Veau (Pain de — et de légumes)   Vol. 21 **p. 66**
Veau (Pain de)   Vol. 10 **p. 56**
Veau (Paupiettes de)   Vol.10   **p. 40**

W-Y

Veau (Pommes de terre au fond de)	Vol. 13 **p. 34**
Veau (Rôti d'épaule de — au chou)	Vol. 10 **p. 24**
Veau (Rôti de)	Vol. 10 **p. 22**
Veau (Rôti de croupe de — aux épices)	Vol. 10 **p. 30**
Veau (Rôti de — de lait)	Vol. 10 **p. 20**
Veau (Roulades de)	Vol. 24 **p. 90**
Veau (Roulé de)	Vol. 10 **p. 104**
Veau (Sauté de — marengo)	Vol. 10 **p. 48**
Veau aux légumes	Vol. 22 **p. 80**
Velouté de céleri	Vol. 6 **p. 101**
Velouté de crevettes	Vol. 11 **p. 80**
Velouté de poulet	Vol. 11 **p. 28**
Velouté glacé au cari	Vol. 25 **p. 32**
Verdure aux fines herbes	Vol. 23 **p. 50**
Viande (Bouillon de)	Vol. 11 **p. 58**
Viande (Boulettes de — avec fèves au lard)	Vol. 8 **p. 61**
Viande (Macaroni à la)	Vol. 23 **p. 82**
Vichyssoise	Vol. 11 **p. 105**
Vin (Cailles au)	Vol. 23 **p. 103**
Vin (Coq au)	Vol. 7 **p. 42**
Vin (Oranges au)	Vol. 21 **p. 96**
Vin (Poulet au — et aux fines herbes)	Vol. 2 **p. 62**
Vin blanc (Cailles au)	Vol. 7 **p. 56**
Vin blanc (Sauté de lapin au)	Vol. 24 **p. 20**
Vin chaud	Vol. 25 **p. 16**
Vin rouge (Fettucine au)	Vol. 12 **p. 45**
Vin rouge (Perdrix au)	Vol. 17 **p. 28**
Vin rouge (Poires au)	Vol. 9 **p. 52**
Vin rouge (Sauce espagnole au)	Vol. 11 **p. 22**
Vin rouge (Truite saumonée au —)	Vol. 5 **p. 104**
Vol-au-vent au crabe	Vol. 15 **p. 32**
Vol-au-vent au jambon	Vol. 4 **p. 48**
Vol-au-vent au poulet et au riz	Vol. 12 **p. 96**
Vol-au-vent au saumon	Vol. 8 **p. 100**
Vol-au-vent aux fruits de mer	Vol. 6 **p. 80**
Volaille (Bouillon de)	Vol. 11 **p. 58**
Volaille (Sauces et assaisonnements pour la)	Vol. 2 **p. 20**
Volailles (Mini-brochettes de)	Vol. 15 **p. 46**
Wienerschnitzel	Vol. 10 **p. 46**
Yaourt (Poulet au — et aux champignons)	Vol. 21 **p. 58**
Yaourt (Surprise au)	Vol. 8 **p. 53**
Yaourt aux bleuets et au miel	Vol. 23 **p. 37**

Index thématique

Abats	Cervelle de veau	Vol. 10	p. 58
	Cœur de bœuf	Vol. 8	p. 104
	Farce d'abats pour canard	Vol. 17	p. 57
	Foie d'agneau rôti	Vol. 10	p. 92
	Foie de bœuf à la sauce brune	Vol. 1	p. 96
	Foie de veau	Vol. 10	p. 34
	Pain de foie	Vol. 21	p. 45
	Rognons de bœuf	Vol. 8	p. 80
Agneau	Agneau à l'anglaise	Vol. 22	p. 78
	Agneau à l'orange	Vol. 10	p. 70
	Boulettes d'agneau	Vol. 10	p. 94
	Brochettes d'agneau	Vol. 10	p. 90
	Carré d'agneau en haie d'honneur	Vol. 10	p. 88
	Côtelettes d'agneau à l'italienne	Vol. 10	p. 59
	Côtelettes d'agneau au persil	Vol. 14	p. 86
	Côtelettes d'agneau aux haricots	Vol. 19	p. 70
	Côtelettes d'agneau aux pommes	Vol. 10	p. 78
	Couronne d'agneau aux abricots	Vol. 10	p. 72
	Épaule d'agneau glacée	Vol. 10	p. 86
	Foie d'agneau rôti	Vol. 10	p. 92
	Gigot d'agneau au romarin	Vol. 10	p. 74
	Gigot d'agneau glacé aux canneberges	Vol. 10	p. 76
	Jarret d'agneau à l'européenne	Vol. 10	p. 80
	Pain de viande à l'agneau	Vol. 22	p. 82
	Ragoût d'agneau	Vol. 10	p. 96
	Ragoût d'agneau au céleri	Vol. 10	p. 83
	Rôti d'agneau au madère	Vol. 10	p. 84
	Sandwichs pita aux boulettes d'agneau	Vol. 21	p. 70
Anchois	Sauce aux anchois	Vol. 11	p. 42
Beurre d'arachides	Gâteau au beurre d'arachides	Vol. 9	p. 38
Biscuits	Biscuits à l'abricot	Vol. 21	p. 98
	Biscuits à la compote de pommes	Vol. 9	p. 49
	Biscuits aux brisures de chocolat	Vol. 3	p. 24
	Biscuits aux flocons d'avoine	Vol. 19	p. 98
	Biscuits aux raisins à l'ancienne	Vol. 3	p. 26
Blé entier	Pain de blé entier	Vol. 3	p. 32
	Pain de blé entier aux bananes	Vol. 3	p. 34
Bœuf	Bifteck à la mode de Londres	Vol. 8	p. 45
	Bifteck à la sauce madère	Vol. 8	p. 36
	Bifteck à la sauce piquante	Vol. 8	p. 34
	Bifteck au poivre	Vol. 8	p. 32
	Bifteck aux poivrons	Vol. 8	p. 48
	Bifteck chasseur	Vol. 8	p. 70
	Bifteck d'aloyau	Vol. 1	p. 64
	Bifteck du sud	Vol. 14	p. 74
	Bifteck mariné	Vol. 8	p. 72
	Bifteck Salisbury	Vol. 8	p. 54
	Bifteck Sukiyaki	Vol. 1	p. 42
	Bœuf à l'orange	Vol. 22	p. 34
	Bœuf à l'orientale	Vol. 8	p. 50
	Bœuf à la bière	Vol. 1	p. 58
	Bœuf à la chinoise	Vol. 21	p. 62

Bœuf

Bœuf à la mode	Vol. 8	p. 30
Bœuf à la niçoise	Vol. 8	p. 94
Bœuf au cari	Vol. 14	p. 30
Bœuf au céleri et au bacon	Vol. 1	p. 54
Bœuf au poivron vert	Vol. 8	p. 78
Bœuf aux olives	Vol. 1	p. 68
Bœuf aux poivrons	Vol. 18	p. 100
Bœuf bourguignon (recette double)	Vol. 1	p. 56
Bœuf bourguignon (recette simple)	Vol. 22	p. 38
Bœuf braisé	Vol. 1	p. 66
Bœuf braisé Nouvelle-Angleterre	Vol. 8	p. 28
Bœuf chinois	Vol. 1	p. 52
Bœuf en croûte	Vol. 8	p. 46
Bœuf mexicain	Vol. 8	p. 84
Bœuf sauté à l'orange	Vol. 19	p. 68
Bœuf strogonoff	Vol. 1	p. 40
Bouilli	Vol. 1	p. 62
Boulettes de viande avec fèves au lard	Vol. 8	p. 61
Boulettes pochées en sauce au citron	Vol. 24	p. 42
Boulettes (recettes de base pour)	Vol. 1	p. 90
Brochettes de boulettes	Vol. 8	p. 58
Brochettes de bœuf	Vol. 1	p. 60
Casserole de bœuf à la chinoise	Vol. 14	p. 34
Casserole de bœuf haché (haricots verts)	Vol. 1	p. 72
Casserole de bœuf haché	Vol. 22	p. 40
Chili	Vol. 1	p. 94
Choux farcis	Vol. 1	p. 70
Cœur de bœuf	Vol. 8	p. 104
Côtes de bœuf à la coréenne	Vol. 24	p. 68
Côtes de bœuf à la sauce barbecue	Vol. 1	p. 36
Feuilles de chou farcies	Vol. 24	p. 48
Filet de bœuf mariné à la sauce soja	Vol. 1	p. 102
Filet mignon	Vol. 1	p. 51
Flanc de bœuf	Vol. 8	p. 42
Foie de bœuf à la sauce brune	Vol. 1	p. 96
Goulash	Vol. 8	p. 83
Hambourgeois	Vol. 1	p. 78
Jardinière de bœuf	Vol. 1	p. 45
Langue de bœuf aux amandes	Vol. 8	p. 76
Lasagne	Vol. 8	p. 88
Macaroni au bœuf et au maïs	Vol. 14	p. 32
Macaroni chinois	Vol. 1	p. 92
Macaroni de grand-mère	Vol. 8	p. 86
Moussaka	Vol. 8	p. 62
Omelette au bœuf	Vol. 1	p. 74
Pain de viande à l'ancienne	Vol. 8	p. 66
Pain de viande à l'italienne	Vol. 8	p. 82
Pain de viande à la sauce aigre-douce	Vol. 1	p. 83
Pain de viande à la sauce barbecue	Vol. 8	p. 68
Pain de viande à la sauce chili	Vol. 1	p. 84
Pain de viande aux épinards	Vol. 1	p. 80
Pain de viande aux pistaches	Vol. 24	p. 62

Bœuf	Paleron de bœuf	Vol. 8	p. 40
	Pâté chinois	Vol. 1	p. 93
	Pâté de bœuf garni	Vol. 8	p. 64
	Piments farcis	Vol. 1	p. 95
	Quiche à la hambourgeoise	Vol. 8	p. 90
	Ragoût de bœuf à la mexicaine	Vol. 19	p. 66
	Ragoût de bœuf haché	Vol. 8	p. 56
	Ramequin de bœuf	Vol. 1	p. 76
	Recettes dérivées de la préparation de bœuf	Vol. 14	p. 24
	Rognons de bœuf	Vol. 8	p. 80
	Rosbif aux fines herbes	Vol. 8	p. 22
	Rosbif d'épaule désossé	Vol. 8	p. 24
	Rosbif de côtes croisées	Vol. 1	p. 32
	Rosbif de surlonge roulé	Vol. 25	p. 66
	Rosbif sauce moutarde	Vol. 23	p. 72
	Roulades de bœuf à la moutarde	Vol. 1	p. 48
	Roulades de bœuf braisé	Vol. 24	p. 40
	Roulés de bœuf au saucisson de Bologne	Vol. 22	p. 36
	Salade de bœuf	Vol. 14	p. 76
	Saucisses de bœuf	Vol. 8	p. 74
	Saucisses de bœuf avec haricots	Vol. 8	p. 96
	Spaghetti sauce à la viande	Vol. 12	p. 22
	Timbale au bœuf	Vol. 8	p. 92
Bouillons et consommés	Bouillon de légumes	Vol. 11	p. 59
	Bouillon de poisson	Vol. 11	p. 59
	Bouillon de viande	Vol. 11	p. 58
	Bouillon de volaille	Vol. 11	p. 58
	Consommé madrilène	Vol. 10	p. 101
Breuvages	Boisson à la tomate	Vol. 23	p. 66
	Boisson chaude	Vol. 20	p. 76
	Café irlandais	Vol. 23	p. 26
	Chocolat chaud	Vol. 23	p. 86
	Chocolat madrilène	Vol. 23	p. 66
	Cidre chaud	Vol. 23	p. 56
	Infusion à la menthe	Vol. 23	p. 76
	Punch à l'ananas et aux fraises	Vol. 23	p. 97
	Punch au champagne	Vol. 25	p. 16
	Punch aux fruits	Vol. 25	p. 16
	Punch de Noël	Vol. 25	p. 17
	Punch des enfants	Vol. 23	p. 86
	Punch doré	Vol. 23	p. 36
	Punch flamboyant	Vol. 25	p. 15
	Punch japonais	Vol. 25	p. 17
	Sangria	Vol. 25	p. 17
	Vin chaud	Vol. 25	p. 16
Brioches	Brioche à l'ananas et au miel	Vol. 9	p. 24
	Brioche aux noix et aux cerises vertes	Vol. 9	p. 23
	Brioche aux pommes	Vol. 9	p. 25
	Brioche du petit déjeuner	Vol. 9	p. 26
	Brioche du Vendredi saint	Vol. 9	p. 30
	Pâte à brioche	Vol. 9	p. 22
	Pâte sucrée	Vol. 9	p. 28

Brochettes	Brochettes de boulettes	Vol. 8	p. 58
	Brochettes de bœuf	Vol. 1	p. 60
	Brochettes de fruits de mer	Vol. 6	p. 76
	Brochettes de poisson et de fruits	Vol. 5	p. 58
	Brochettes de porc et de pruneaux	Vol. 4	p. 66
	Brochettes de poulet	Vol. 2	p. 70
	Brochettes de saucisses	Vol. 20	p. 56
Brunch	Brunch (Quand le tête-à-tête se fait)	Vol. 23	p. 98
	Brunch : une délectable flânerie (Le)	Vol. 23	p. 8
	Brunch à savourer entre amis (Un)	Vol. 23	p. 88
	Brunch chaud (Votre)	Vol. 23	p. 18
	Brunch de Pâques (Votre)	Vol. 23	p. 38
	Brunch pour célébrer un anniversaire (Un)	Vol. 23	p. 28
	Brunch pour la fête des Mères (Un)	Vol. 23	p. 58
	Brunch préféré des enfants (Le)	Vol. 23	p. 78
	Brunch québécois (Un)	Vol. 23	p. 48
	Brunch, côté jardin (Votre)	Vol. 23	p. 68
Canneberges	Pain de canneberges	Vol. 19	p. 100
	Sauce aux canneberges	Vol. 11	p. 30
	Sauce aux canneberges et aux poires	Vol. 2	p. 101
Câpres	Sauce aux câpres	Vol. 11	p. 25
Cari	Sauce au cari	Vol. 11	p. 30
Cassoulet	Cassoulet	Vol. 24	p. 18
Chocolat	Biscuit aux brisures de chocolat	Vol. 3	p. 24
	Crème au chocolat	Vol. 3	p. 81
	Fondue au chocolat	Vol. 3	p. 102
	Garniture au chocolat	Vol. 3	p. 72
	Gâteau allemand au chocolat	Vol. 9	p. 36
	Gâteau au fudge et au chocolat	Vol. 3	p. 64
	Glace au chocolat	Vol. 3	p. 69
	Mousse au chocolat et à la menthe	Vol. 9	p. 78
	Muffins au chocolat	Vol. 3	p. 42
Choucroute	Choucroute à la perdrix	Vol. 17	p. 32
	Choucroute et porc	Vol. 4	p. 94
	Ragoût chasseur	Vol. 24	p. 46
Compotes	Biscuits à la compote de pommes	Vol. 9	p. 49
	Compote de fruits	Vol. 9	p. 90
	Compote de pêches et de prunes	Vol. 23	p. 86
	Compote de pommes	Vol. 9	p. 88
	Compote de rhubarbe	Vol. 9	p. 92
Confitures	Confiture de bleuets	Vol. 9	p. 95
	Confiture de cerises	Vol. 9	p. 97
	Confiture de fraises	Vol. 9	p. 94
	Confiture de framboises	Vol. 9	p. 96
Crèmes-desserts	Crème à l'amande	Vol. 3	p. 102
	Crème à la vanille	Vol. 3	p. 80
	Crème au chocolat	Vol. 3	p. 81
	Crème aux fraises	Vol. 3	p. 81
	Crème caramel	Vol. 9	p. 84
	Crème Chantilly aux amandes	Vol. 22	p. 96
	Crème pâtissière	Vol. 3	p. 100
	Crème pâtissière au riz et aux pêches	Vol. 19	p. 96

Crèmes-desserts	Crème renversée au coulis de fruits	Vol. 9	p. 60
	Crème Royale	Vol. 6	p. 105
Crêpes	Crêpes aux bananes	Vol. 9	p. 98
	Crêpes aux pommes	Vol. 9	p. 99
Cresson	Potage de cresson	Vol. 20	p. 20
	Soupe au jambon et au cresson	Vol. 11	p. 84
	Soupe aux poires et au cresson	Vol. 23	p. 71
	Soupe légère au cresson	Vol. 23	p. 30
Cretons	Cretons (veau)	Vol. 19	p. 53
	Cretons (porc)	Vol. 14	p. 78
Crosses de fougère	Crosses de fougère	Vol. 25	p. 49
Desserts	Babas au rhum	Vol. 9	p. 74
	Bonshommes de pain d'épices	Vol. 25	p. 105
	Boules granola	Vol. 20	p. 90
	Carrés à la guimauve	Vol. 20	p. 86
	Fondue au chocolat	Vol. 3	p. 102
	Fudge	Vol. 20	p. 94
	Parfait à la menthe	Vol. 7	p. 105
	Petits scones	Vol. 21	p. 94
	Sucre à la crème	Vol. 20	p. 102
	Surprise au yaourt	Vol. 8	p. 53
Desserts aux fruits	Ananas aux fruits	Vol. 9	p. 58
	Ananas garni	Vol. 22	p. 105
	Anneau au caramel et aux cerises	Vol. 9	p. 32
	Bagatelle aux fraises	Vol. 23	p. 47
	Bagatelle aux pommes	Vol. 9	p. 72
	Brochettes de fruits chauds	Vol. 23	p. 87
	Carrés aux dattes	Vol. 3	p. 105
	Charlotte à l'orange	Vol. 23	p. 57
	Couronne à l'orange	Vol. 25	p. 60
	Crème renversée au coulis de fruits	Vol. 9	p. 60
	Croustade aux pommes et à la noix de coco	Vol. 9	p. 50
	Croustillants aux pommes	Vol. 3	p. 103
	Flan aux abricots	Vol. 10	p. 105
	Flan aux ananas	Vol. 9	p. 56
	Friandises à la noix de coco	Vol. 18	p. 92
	Fruits au Grand Marnier (Coupe de)	Vol. 25	p. 38
	Fruits montagnards	Vol. 23	p. 67
	Gelée Hzing Zen (amande)	Vol. 18	p. 86
	Gratin aux fruits	Vol. 9	p. 57
	Oranges au vin	Vol. 21	p. 96
	Pain aux épices et aux pommes	Vol. 3	p. 36
	Pêches farcies	Vol. 19	p. 92
	Petits fours aux amandes	Vol. 18	p. 88
	Pizza aux fruits	Vol. 25	p. 50
	Poires Alma	Vol. 9	p. 53
	Poires au sirop d'érable	Vol. 9	p. 54
	Poires au vin rouge	Vol. 9	p. 52
	Poires glacées	Vol. 21	p. 90
	Poires pochées au coulis de framboises	Vol. 5	p. 105
	Pomme au four	Vol. 20	p. 98

Desserts aux fruits	Pommes au caramel	Vol. 9	p. 48
	Pommes chaudes au gruyère	Vol. 23	p. 27
	Salade de fruits	Vol. 8	p. 105
	Shortcake aux fraises	Vol. 3	p. 60
	Tarte aux fruits	Vol. 21	p. 92
	Tarte aux fruits et aux pacanes	Vol. 13	p. 105
	Tartignole aux pommes et aux raisins	Vol. 19	p. 90
	Tutti frutti à la crème pâtissière	Vol. 3	p. 98
Érable	Jambon à l'érable (épaule)	Vol. 4	p. 34
	Jambon à l'érable (fesse)	Vol. 23	p. 52
	Tarte à l'érable	Vol. 23	p. 56
	Tarte à la crème d'érable	Vol. 3	p. 92
Escargots	Escargots à l'ail et aux oignons verts	Vol. 6	p. 84
Farces	Farce au riz et à l'orange	Vol. 12	p. 80
	Farce au riz et aux légumes	Vol. 12	p. 78
	Farce d'abats pour canard	Vol. 17	p. 57
	Farce de veau et d'épinards	Vol. 12	p. 52
	Farce fine	Vol. 17	p. 57
	Farces (Suggestions pour vos volailles)	Vol. 7	p. 40
	Farces et sauces	Vol. 17	p. 58
	Variations sur le thème de la farce	Vol. 2	p. 105
Fenouil	Sauce au fenouil	Vol. 11	p. 48
Feuilles de vigne	Feuilles de vigne farcies	Vol. 15	p. 42
Flocons d'avoine	Biscuits aux flocons d'avoine	Vol. 19	p. 98
Fromages	Beignets au camembert	Vol. 16	p. 70
	Croque-monsieur (muffin anglais)	Vol. 16	p. 100
	Croque-monsieur (pain)	Vol. 14	p. 100
	Flan au fromage et aux tomates	Vol. 16	p. 92
	Fondue suisse	Vol. 16	p. 66
	Fromages (Assiette de)	Vol. 23	p. 41
	Gâteau au fromage et aux mandarines	Vol. 9	p. 40
	Gâteau au fromage	Vol. 3	p. 58
	Glace au fromage	Vol. 3	p. 69
	Gnocchi au fromage	Vol. 15	p. 84
	Lasagne aux quatre fromages	Vol. 12	p. 38
	Macaroni au cheddar	Vol. 12	p. 61
	Macaroni au fromage	Vol. 16	p. 82
	Macédoine au fromage	Vol. 16	p. 74
	Muffins au fromage	Vol. 19	p. 88
	Nouilles au roquefort	Vol. 12	p. 46
	Pain au fromage et au riz	Vol. 16	p. 96
	Pain de fromage et de saumon	Vol. 14	p. 88
	Petits gâteaux au fromage	Vol. 22	p. 94
	Sauce au parmesan	Vol. 11	p. 22
	Soupe au fromage	Vol. 16	p. 76
	Tartinade au fromage	Vol. 16	p. 68
Fruits — Abricots	Biscuits à l'abricot	Vol. 21	p. 98
	Flan aux abricots	Vol. 10	p. 105
Fruits — Ananas	Ananas garni	Vol. 22	p. 105
	Ananas aux fruits	Vol. 9	p. 58
	Brioche à l'ananas et au miel	Vol. 9	p. 24
	Flan à l'ananas	Vol. 9	p. 56

Fruits — Ananas	Gâteau aux ananas	Vol. 3	p. 52
Fruits — Avocats	Avocats aux fruits de mer	Vol. 15	p. 98
	Avocats aux noix	Vol. 15	p. 78
	Avocats farcis à la dinde	Vol. 14	p. 50
Fruits — Bananes	Crêpes aux bananes	Vol. 9	p. 98
	Gâteau aux bananes	Vol. 3	p. 54
	Pain de blé entier aux bananes	Vol. 3	p. 34
Fruits — Bleuets	Confiture de bleuets	Vol. 9	p. 95
	Tarte aux bleuets	Vol. 24	p. 105
Fruits — Cerises	Confiture de cerises	Vol. 9	p. 97
	Mousse aux cerises	Vol. 9	p. 80
Fruits — Citron	Garniture au citron	Vol. 3	p. 73
	Pouding au citron et à l'ananas	Vol. 9	p. 71
	Sauce au citron	Vol. 11	p. 20
	Tarte au citron et à la meringue	Vol. 3	p. 94
Fruits — Citrouille	Potage à la citrouille	Vol. 19	p. 26
	Tarte à la citrouille	Vol. 25	p. 78
Fruits — Dattes	Carrés aux dattes	Vol. 3	p. 105
	Muffins aux dattes et au son	Vol. 3	p. 45
Fruits — Fraises	Bagatelle aux fraises	Vol. 23	p. 47
	Confiture de fraises	Vol. 9	p. 94
	Crème aux fraises	Vol. 3	p. 81
	Gâteaux sablés aux fraises	Vol. 22	p. 92
	Mousse aux fraises	Vol. 3	p. 102
	Shortcake aux fraises	Vol. 3	p. 60
	Sorbet aux fraises	Vol. 2	p. 105
	Tarte aux fraises	Vol. 3	p. 90
Fruits — Framboises	Confiture de framboises	Vol. 9	p. 96
Fruits — Litchis	Mousse aux litchis	Vol. 18	p. 90
	Sauce aux litchis	Vol. 18	p. 70
Fruits — Orange	Charlotte à l'orange	Vol. 23	p. 57
	Couronne à l'orange	Vol. 25	p. 60
	Oranges au vin	Vol. 21	p. 96
	Muffins à l'orange	Vol. 21	p. 86
Fruits — Pamplemousses	Pamplemousse au rhum	Vol. 23	p. 51
Fruits — Pêches	Demi-pêches garnies de mousse de crevettes	Vol. 22	p. 100
	Pêches farcies	Vol. 19	p. 92
	Tarte aux pêches	Vol. 3	p. 91
Fruits — Poires	Poires Alma	Vol. 9	p. 53
	Poires au sirop d'érable	Vol. 9	p. 54
	Poires au vin rouge	Vol. 9	p. 52
	Poires glacées	Vol. 21	p. 90
	Poires pochées au coulis de framboises	Vol. 5	p. 105
	Soupe aux poires et au cresson	Vol. 23	p. 71
Fruits — Pommes	Bagatelle aux pommes	Vol. 9	p. 72
	Brioches aux pommes	Vol. 9	p. 25
	Crêpes aux pommes	Vol. 9	p. 99
	Croustade aux pommes et à la noix de coco	Vol. 9	p. 50
	Croustillant aux pommes	Vol. 3	p. 103
	Omelette aux pommes	Vol. 20	p. 78
	Omelette flambée aux pommes	Vol. 16	p. 38

Fruits — Pommes	Pomme au four	Vol. 20	p. 98
	Pommes au caramel	Vol. 9	p. 48
	Pommes chaudes au gruyère	Vol. 23	p. 27
	Sauce aux pommes	Vol. 11	p. 54
	Tarte aux pommes	Vol. 3	p. 86
	Tartignole aux pommes et aux raisins	Vol. 19	p. 90
Fruits — Prunes	Sauce aux prunes	Vol. 18	p. 68
Fruits — Raisins	Mousse aux raisins	Vol. 9	p. 82
	Biscuits aux raisins à l'ancienne	Vol. 3	p. 26
	Sauce aux raisins	Vol. 11	p. 54
Fruits — Rhubarbe	Compote de rhubarbe	Vol. 9	p. 92
	Tourte à la rhubarbe	Vol. 23	p. 46
Fruits de mer	Assiette du capitaine	Vol. 6	p. 104
	Bisque de fruits de mer	Vol. 11	p. 76
	Brochettes de fruits de mer	Vol. 6	p. 76
	Casserole de fruits de mer	Vol. 6	p. 88
	Coquille de fruits de mer	Vol. 16	p. 80
	Coquilles Saint-Jacques (pétoncles)	Vol. 6	p. 94
	Coquilles Saint-Jacques (fruits de mer)	Vol. 21	p. 72
	Fettucine verdi	Vol. 6	p. 83
	Hors-d'œuvre de la mer	Vol. 6	p. 92
	Paella	Vol. 6	p. 96
	Quiche aux fruits de mer	Vol. 6	p. 90
	Salade de la mer	Vol. 6	p. 48
	Spaghettini aux fruits de mer	Vol. 6	p. 82
	Vol-au-vent aux fruits de mer	Vol. 6	p. 80
Fruits de mer — Calmars	Calmars farcis au jambon	Vol. 6	p. 86
Fruits de mer — Crabe	Casserole de chair de crabe	Vol. 6	p. 61
	Crabe à la cantonaise	Vol. 6	p. 56
	Crabe à la florentine	Vol. 6	p. 58
	Pattes de crabe à la sauce citronnée	Vol. 6	p. 62
	Quiche au crabe	Vol. 16	p. 88
	Rouleaux de poulet au crabe	Vol. 22	p. 53
	Salade de crabe sur croissant	Vol. 6	p. 64
	Vol-au-vent au crabe	Vol. 15	p. 32
Fruits de mer — Crevettes	Coquilles de crevettes au gratin	Vol. 15	p. 22
	Couscous au poulet et aux crevettes	Vol. 2	p. 96
	Crevettes à l'ail	Vol. 6	p. 34
	Crevettes à l'américaine	Vol. 6	p. 38
	Crevettes à la chinoise	Vol. 6	p. 36
	Crevettes à la créole	Vol. 6	p. 32
	Crevettes à la créole (avec riz)	Vol. 21	p. 74
	Crevettes du cocotier	Vol. 6	p. 40
	Crevettes en paniers	Vol. 25	p. 84
	Crevettes en sauce tomate au féta	Vol. 19	p. 82
	Crevettes Kiang	Vol. 18	p. 58
	Linguine aux crevettes et aux tomates	Vol. 21	p. 82
	Pâté aux crevettes	Vol. 25	p. 102
	Pizzas aux crevettes	Vol. 14	p. 105
	Risotto aux crevettes	Vol. 19	p. 76
	Riz frit aux crevettes	Vol. 12	p. 70

Fruits de mer —	Cuisses de grenouille	Vol. 15	p. 34
Cuisses de grenouille	Cuisses de grenouille à la provençale	Vol. 6	p. 72
Fruits de mer	Fricassée de homard	Vol. 23	p. 94
— Homard	Gratin de chair de homard	Vol. 6	p. 28
	Homard aux champignons	Vol. 18	p. 54
	Homard Thermidor	Vol. 6	p. 24
	Queues de homard farcies	Vol. 6	p. 30
	Ragoût d'aubergines au homard	Vol. 15	p. 36
	Salade de homard et de riz	Vol. 12	p. 84
Fruits de mer	Gratin d'huîtres	Vol. 6	p. 54
— Huîtres	Sauté d'huîtres aux champignons	Vol. 6	p. 78
Fruits de mer	Langoustines à l'ail	Vol. 6	p. 42
— Langoustines	Langoustines à l'italienne	Vol. 6	p. 45
	Langoustines sans gêne	Vol. 6	p. 46
	Risotto aux langoustines	Vol. 24	p. 28
Fruits de mer	Moules à la bordelaise	Vol. 15	p. 26
— Moules	Moules bordelaises	Vol. 25	p. 64
	Moules marinière	Vol. 5	p. 101
Fruits de mer	Palourdes à l'orientale	Vol. 6	p. 68
— Palourdes	Palourdes à la portugaise	Vol. 6	p. 70
	Palourdes à la vapeur servies avec beurre à l'ail	Vol. 6	p. 66
	Palourdes gratinées	Vol. 6	p. 74
	Rizotto aux palourdes	Vol. 6	p. 50
	Sauce aux palourdes	Vol. 11	p. 44
	Spaghettini aux palourdes	Vol. 12	p. 26
Fruits de mer	Pétoncles amandine	Vol. 14	p. 92
— Pétoncles	Pétoncles aux légumes	Vol. 21	p. 78
	Pétoncles citronnés aux épinards	Vol. 19	p. 78
	Pétoncles en coquilles	Vol. 6	p. 53
	Pétoncles en sauce	Vol. 15	p. 24
	Pétoncles Tsao Ku	Vol. 18	p. 61
	Ravioli aux pétoncles et au fenouil	Vol. 12	p. 58
Garnitures	Garniture aux champignons	Vol. 16	p. 60
	Garniture aux épinards	Vol. 16	p. 60
	Garniture aux pois verts	Vol. 16	p. 60
	Garniture à la vanille	Vol. 3	p. 72
	Garniture au chocolat	Vol. 3	p. 72
	Garniture au citron	Vol. 3	p. 73
	Garnitures et sauces pour omelettes cuites	Vol. 16	p. 58
Gâteaux	Gâteau à l'ananas	Vol. 3	p. 52
	Gâteau à la gelée aromatisée	Vol. 23	p. 36
	Gâteau allemand au chocolat	Vol. 9	p. 36
	Gâteau au beurre d'arachides	Vol. 9	p. 38
	Gâteau au fromage	Vol. 3	p. 58
	Gâteau au fromage et aux mandarines	Vol. 9	p. 40
	Gâteau au fudge et au chocolat	Vol. 3	p. 64
	Gâteau au tofu	Vol. 21	p. 100
	Gâteau aux bananes	Vol. 3	p. 54
	Gâteau aux brisures de chocolat	Vol. 23	p. 86
	Gâteau aux carottes	Vol. 1	p. 105
	Gâteau aux fruits	Vol. 3	p. 56
	Gâteau aux jujubes	Vol. 25	p. 78

Gâteaux	Gâteau aux tomates	Vol. 9	p. 44
	Gâteau blanc	Vol. 3	p. 55
	Gâteau Boston	Vol. 9	p. 42
	Gâteau de la Forêt-Noire	Vol. 25	p. 28
	Gâteau Reine Élizabeth	Vol. 3	p. 62
	Gâteaux moka	Vol. 25	p. 105
	Gâteaux sablés aux fraises	Vol. 22	p. 92
	Petits gâteaux au fromage	Vol. 22	p. 94
Germe de blé	Muffins au germe de blé	Vol. 21	p. 88
Gibier — Cailles	Cailles au vin	Vol. 23	p. 103
	Cailles chasseur	Vol. 17	p. 54
Gibier — Canard	Canard aux pommes	Vol. 17	p. 48
	Canard rôti, farci aux huîtres	Vol. 17	p. 52
	Farce d'abats pour canard	Vol. 17	p. 57
	Farce fine	Vol. 17	p. 57
	Poitrines de canard au cidre	Vol. 17	p. 46
	Sauce d'accompagnement pour canard	Vol. 17	p. 58
Gibier — Caribou	Pain de viande de caribou	Vol. 17	p. 90
	Rôti de caribou	Vol. 17	p. 88
Gibier — Chevreuil	Bifteck de chevreuil en sauce au poivre	Vol. 17	p. 84
	Chevreuil à la suisse	Vol. 17	p. 82
	Chevreuil en sauce aigre-douce	Vol. 17	p. 83
	Cuissot de chevreuil petit-maître	Vol. 17	p. 80
	Cuissot de chevreuil rôti	Vol. 17	p. 78
	Ragoût de chevreuil	Vol. 17	p. 86
Gibier — Faisan	Faisan à la basquaise	Vol. 17	p. 40
	Faisan au bourgogne	Vol. 17	p. 38
	Faisan royal	Vol. 17	p. 42
Gibier — Lièvre	Civet de lièvre	Vol. 17	p. 105
	Lièvre à la bière	Vol. 17	p. 100
	Lièvre chasseur	Vol. 17	p. 101
	Lièvre en cocotte	Vol. 17	p. 98
Gibier — Oie	Oie à la crème	Vol. 17	p. 64
	Oie aux pommes	Vol. 17	p. 60
	Ragoût d'oie	Vol. 17	p. 62
Gibier — Orignal	Boulettes d'orignal à la crème	Vol. 17	p. 76
	Marinade pour l'orignal	Vol. 17	p. 56
	Orignal aux champignons	Vol. 17	p. 74
	Pain de viande d'orignal	Vol. 17	p. 72
	Ragoût d'orignal	Vol. 17	p. 70
	Rôti d'orignal	Vol. 17	p. 68
Gibier — Ours	Ragoût d'ours	Vol. 17	p. 94
	Rôti d'ours	Vol. 17	p. 92
Gibier — Perdrix	Choucroute à la perdrix	Vol. 17	p. 32
	Perdrix au chou	Vol. 17	p. 34
	Perdrix au vin rouge	Vol. 17	p. 28
	Perdrix aux fèves au lard	Vol. 17	p. 36
	Perdrix aux truffes	Vol. 17	p. 30
Gingembre	Sorbet au gingembre et aux mandarines	Vol. 9	p. 62
Glaces	Glace à la japonaise	Vol. 3	p. 68
	Glace au chocolat	Vol. 3	p. 69
	Glace au fromage	Vol. 3	p. 69

Glaces	Glace moka	Vol. 3	**p. 68**
Gourganes	Soupe aux gourganes	Vol. 19	**p. 24**
Guimauve	Carrés à la guimauve	Vol. 20	**p. 86**
Hors-d'œuvre	Aspics délicieux	Vol. 25	**p. 22**
	Casse-croûte à la grecque	Vol. 14	**p. 36**
	Demi-pêches garnies de mousse de crevettes	Vol. 22	**p. 100**
	Entrée de sardines	Vol. 15	**p. 30**
	Melons glacés	Vol. 23	**p. 77**
	Pamplemousse au rhum	Vol. 23	**p. 51**
	Préparations de base des hors-d'œuvre chauds	Vol. 15	**p. 12**
	Sauces froides pour hors-d'œuvre froids	Vol. 15	**p. 14**
Jujubes	Gâteau aux jujubes	Vol. 25	**p. 78**
Ketchup	Ketchup aux betteraves	Vol. 13	**p. 49**
	Ketchup aux tomates	Vol. 13	**p. 74**
Lapins	Lapin à la moutarde	Vol. 25	**p. 56**
	Lapin à la noix de coco	Vol. 24	**p. 80**
	Lapin au vin blanc (Sauté de)	Vol. 24	**p. 20**
Légumes	Effilochée de légumes	Vol. 25	**p. 69**
	Garniture aux trois légumes	Vol. 13	**p. 42**
	Gratin de légumes	Vol. 16	**p. 94**
	Gratin méridional	Vol. 15	**p. 88**
	Jardinière de légumes	Vol. 7	**p. 101**
	Julienne de légumes	Vol. 23	**p. 80**
	Légumes à l'orientale	Vol. 15	**p. 90**
	Légumes au gratin	Vol. 19	**p. 44**
	Légumes braisés	Vol. 19	**p. 40**
	Légumes chinois à la sauce d'huîtres	Vol. 18	**p. 62**
	Légumes et crevettes endimanchés	Vol. 23	**p. 21**
	Légumes frits à la chinoise	Vol. 13	**p. 88**
	Légumes glacés	Vol. 25	**p. 103**
	Légumes marinés	Vol. 25	**p. 59**
	Macédoine au fromage	Vol. 16	**p. 74**
	Macédoine de légumes	Vol. 13	**p. 50**
	Macédoine estivale	Vol. 13	**p. 96**
	Paella aux légumes	Vol. 21	**p. 61**
	Ratatouille	Vol. 13	**p. 66**
	Riz aux légumes	Vol. 12	**p. 88**
	Tourte aux légumes	Vol. 23	**p. 62**
	Verdures aux fines herbes	Vol. 23	**p. 50**
Légumes	Artichauts farcis	Vol. 13	**p. 84**
— Artichauts	Casserole d'artichauts et de petits pois	Vol. 13	**p. 83**
	Fonds d'artichauts farcis	Vol. 15	**p. 50**
	Salade de champignons et d'artichauts	Vol. 13	**p. 86**
Légumes	Asperges amandine	Vol. 13	**p. 90**
— Asperges	Asperges en sauce	Vol. 23	**p. 30**
	Asperges en sauce (sauce Mornay — béarnaise)	Vol. 15	**p. 54**
	Asperges, sauce moutarde	Vol. 4	**p. 101**
	Crème d'asperges	Vol. 5	**p. 100**
	Œufs pochés sur mousse d'asperges	Vol. 23	**p. 40**
Légumes	Aubergines à la crème	Vol. 15	**p. 76**
— Aubergines	Aubergines au parmesan	Vol. 16	**p. 72**
	Fondue d'aubergines et de tomates	Vol. 15	**p. 64**

Légumes	Moussaka	Vol. 8	p. 62
— Aubergines	Ragoût d'aubergines au homard	Vol. 15	p. 36
	Spaghettini à l'aubergine	Vol. 14	p. 96
Légumes	Betteraves à la mode de Harvard	Vol. 19	p. 48
— Betteraves	Betteraves au vinaigre	Vol. 13	p. 48
	Julienne de betteraves	Vol. 23	p. 50
	Ketchup aux betteraves	Vol. 13	p. 49
Légumes	Brocoli amandine	Vol. 13	p. 58
— Brocoli	Brocoli, sauce aux champignons	Vol. 21	p. 48
	Casserole de brocoli et de fromage	Vol. 23	p. 50
	Casserole de brocoli et de jambon	Vol. 13	p. 56
	Soupe au brocoli et à l'oignon	Vol. 19	p. 30
	Terrine de brocoli	Vol. 21	p. 42
Légumes	Carottes à la crème	Vol. 13	p. 46
— Carottes	Carottes basques	Vol. 15	p. 56
	Carottes glacées	Vol. 13	p. 45
	Carottes Vichy	Vol. 25	p. 27
	Crème de carottes	Vol. 11	p. 64
	Gâteau aux carottes	Vol. 1	p. 105
	Potage aux carottes	Vol. 21	p. 32
Légumes	Potage au céleri	Vol. 19	p. 34
— Céleri	Velouté de céleri	Vol. 6	p. 101
Légumes	Champignons à la grecque	Vol. 15	p. 101
— Champignons	Champignons farcis	Vol. 21	p. 50
	Champignons farcis (chair de saucisses)	Vol. 15	p. 68
	Crème de champignons	Vol. 11	p. 68
	Garniture aux champignons	Vol. 16	p. 60
	Salade de champignons et d'artichauts	Vol. 13	p. 86
	Salade de champignons et de chou-fleur	Vol. 22	p. 101
	Sauce aux champignons	Vol. 17	p. 58
Légumes	Chou gratiné	Vol. 15	p. 70
— Chou	Chou râpé à l'orange	Vol. 25	p. 82
	Choux farcis	Vol. 1	p. 70
	Feuilles de chou farcies	Vol. 24	p. 48
	Feuilles de chou farcies au poulet	Vol. 2	p. 90
	Quiche au chou	Vol. 13	p. 54
	Soupe au chou	Vol. 11	p. 93
Légumes	Chou-fleur à la polonaise	Vol. 13	p. 60
— Chou-fleur	Chou-fleur gratiné	Vol. 1	p. 103
	Quiche au chou-fleur	Vol. 15	p. 72
	Soupe au chou-fleur	Vol. 11	p. 67
Légumes	Choux de Bruxelles à la crème sure	Vol. 13	p. 60
— Choux de Bruxelles	Choux de Bruxelles aux champignons	Vol. 13	p. 59
Légumes	Crème de concombres et de fonds d'artichauts	Vol. 11	p. 72
— Concombres	Concombres farcis	Vol. 15	p. 53
	Potage aux concombres et aux tomates	Vol. 21	p. 24
	Salade de concombres	Vol. 10	p. 100
Légumes	Coquilles de courgettes aux tomates	Vol. 19	p. 50
— Courgettes	Courgettes à l'ail	Vol. 25	p. 89
	Courgettes à l'italienne	Vol. 13	p. 70
	Courgettes à la grecque	Vol. 24	p. 34
	Courgettes à la Provençale	Vol. 21	p. 53

Légumes	Courgettes farcies (veau)	Vol. 15	p. 38
— Courgettes	Courgettes farcies	Vol. 13	p. 68
	Omelette aux courgettes	Vol. 16	p. 28
Légumes — Cresson	Sauce au cresson	Vol. 11	p. 20
Légumes	Endives au gratin	Vol. 16	p. 78
— Endives	Endives en cachette	Vol. 23	p. 90
Légumes — Épinards	Coulis d'épinards	Vol. 13	p. 72
	Garniture aux épinards	Vol. 16	p. 60
	Manicotti aux épinards	Vol. 19	p. 84
	Pain de viande aux épinards	Vol. 1	p. 80
	Salade d'épinards	Vol. 8	p. 101
	Sauce aux épinards	Vol. 11	p. 43
Légumes — Haricots	Haricots blancs à l'ananas	Vol. 21	p. 46
	Haricots jaunes à la créole	Vol. 13	p. 61
	Haricots verts en sauce tomate	Vol. 13	p. 62
Légumes — Laitues	Laitue Boston, vinaigrette à l'estragon	Vol. 23	p. 100
	Salade de laitues	Vol. 4	p. 100
Légumes — Maïs	Épis de maïs	Vol. 20	p. 36
	Maïs en sauce chili	Vol. 13	p. 64
	Soupe au maïs	Vol. 18	p. 82
Légumes — Oignons	Casserole d'oignons et de tomates	Vol. 13	p. 78
	Oignons à la crème	Vol. 15	p. 80
	Oignons farcis	Vol. 13	p. 92
	Soupe à l'oignon gratinée	Vol. 11	p. 94
Légumes — Poireaux	Crème de poireaux	Vol. 11	p. 72
	Crème de poireaux et de brocoli	Vol. 21	p. 36
	Flan aux poireaux	Vol. 13	p. 94
	Poireaux marinés	Vol. 15	p. 100
	Poireaux servis sur lit de nouilles	Vol. 15	p. 82
	Potage de poireaux	Vol. 1	p. 100
Légumes — Pois verts	Garniture aux pois verts	Vol. 16	p. 60
Légumes — Poivrons	Poivrons (piments) farcis	Vol. 1	p. 95
	Poivrons en canapés	Vol. 13	p. 80
	Sauce aux poivrons	Vol. 11	p. 28
Légumes	Gratin de pommes de terre et de panais	Vol. 25	p. 101
— Pommes de terre	Pelures de pommes de terre au saumon	Vol. 23	p. 91
	Pommes de terre « en deux temps »	Vol. 13	p. 38
	Pommes de terre à l'oignon	Vol. 13	p. 40
	Pommes de terre au fond de veau	Vol. 13	p. 34
	Pommes de terre au four	Vol. 13	p. 32
	Pommes de terre en escalopes	Vol. 13	p. 36
	Pommes de terre en robe des champs	Vol. 20	p. 28
	Pommes de terre farcies	Vol. 13	p. 30
	Pommes de terre farcies à l'ail	Vol. 15	p. 103
	Pommes de terre farcies au fromage	Vol. 15	p. 102
	Pommes de terre farcies aux sardines	Vol. 15	p. 58
	Pommes de terre persillées	Vol. 13	p. 28
	Salade de pommes de terre aux crevettes	Vol. 23	p. 70
Légumes — Rutabaga	Crème de rutabaga	Vol. 21	p. 30
	Rutabaga et poivron vert au fromage	Vol. 13	p. 53
Légumineuses	« Fèves au lard » à la mode de Boston	Vol. 24	p. 96
— Fèves	Boulettes de viande avec fèves au lard	Vol. 8	p. 61

Légumineuses—Fèves	Perdrix aux fèves au lard	Vol. 17	p. 36
Légumineuses **— Gourganes**	Soupe aux gourganes	Vol. 19	p. 24
Légumineuses **— Lentilles**	Casserole de lentilles et de bœuf haché	Vol. 21	p. 64
	Soupe aux lentilles (légumes)	Vol. 13	p. 100
Légumineuses — Pois	Potage à la purée de pois	Vol. 11	p. 66
	Soupe aux pois	Vol. 11	p. 96
Légumineuses **— Pois chiches**	Ratatouille de pois chiches	Vol. 19	p. 42
Madère	Sauce au madère	Vol. 11	p. 32
Marinades	Marinade pour l'orignal	Vol. 17	p. 56
	Marinade sèche (pour gibier)	Vol. 17	p. 56
Menus de la semaine	Menus de la semaine	Vol. 14	p. 54
Miel	Muffins au miel et au blé entier	Vol. 3	p. 43
Mousses	Mousse au jambon	Vol. 15	p. 92
	Mousse au saumon	Vol. 22	p. 26
	Mousse de sole	Vol. 25	p. 94
	Mousse de tomates	Vol. 13	p. 82
Mousses-Desserts	Mousse au bourbon	Vol. 25	p. 70
	Mousse au café	Vol. 25	p. 90
	Mousse au chocolat	Vol. 3	p. 101
	Mousse au chocolat et à la menthe	Vol. 9	p. 78
	Mousse aux raisins	Vol. 9	p. 82
	Mousse aux cerises	Vol. 9	p. 80
	Mousse aux fraises	Vol. 3	p. 102
	Mousse aux litchis	Vol. 18	p. 90
	Mousse de marrons	Vol. 12	p. 105
Muffins	Muffins à l'orange	Vol. 21	p. 86
	Muffins au chocolat	Vol. 3	p. 42
	Muffins au fromage	Vol. 19	p. 88
	Muffins au germe de blé	Vol. 21	p. 88
	Muffins au miel et au blé entier	Vol. 3	p. 43
	Muffins au son et à la mélasse	Vol. 3	p. 44
	Muffins aux dattes et au son	Vol. 3	p. 45
Noix	Avocats aux noix	Vol. 15	p. 78
	Brioche aux noix et aux cerises vertes	Vol. 9	p. 23
Noix de coco	Friandises à la noix de coco	Vol. 18	p. 92
	Tarte à la noix de coco	Vol. 19	p. 94
Œufs	Croque-aux-œufs	Vol. 23	p. 81
	Croustade d'œufs brouillés	Vol. 16	p. 64
	Œufs antillais	Vol. 25	p. 54
	Œufs au micro-ondes, une adaptation simple	Vol. 16	p. 10
	Œufs bénédictine	Vol. 16	p. 42
	Œufs brouillés au riz	Vol. 16	p. 53
	Œufs brouillés au saumon fumé	Vol. 16	p. 50
	Œufs en matelote	Vol. 16	p. 48
	Œufs en ramequins (Brunch)	Vol. 23	p. 61
	Œufs en ramequins	Vol. 16	p. 54
	Œufs jardinière	Vol. 16	p. 46
	Œufs pochés en sauce tomate	Vol. 16	p. 45
	Œufs pochés sur mousse d'asperges	Vol. 23	p. 40
	Œufs surprise	Vol. 23	p. 24

Œufs	Pain d'œufs et de saumon	Vol. 16	p. 56
	Terrine de jambon et d'œufs	Vol. 23	p. 42
	Tomates farcies aux œufs	Vol. 16	p. 61
Omelettes	Omelette à la paysanne	Vol. 16	p. 24
	Omelette au bœuf	Vol. 1	p. 74
	Omelette au coulis de tomates	Vol. 23	p. 92
	Omelette au poulet	Vol. 2	p. 88
	Omelette au saumon	Vol. 16	p. 36
	Omelette aux courgettes	Vol. 16	p. 28
	Omelette aux fruits	Vol. 16	p. 40
	Omelette aux pommes	Vol. 20	p. 78
	Omelette campagnarde	Vol. 22	p. 86
	Omelette du lundi	Vol. 16	p. 32
	Omelette espagnole	Vol. 16	p. 34
	Omelette flambée aux pommes	Vol. 16	p. 38
	Omelette parmentier	Vol. 16	p. 62
	Omelette printanière	Vol. 16	p. 30
	Omelette provençale	Vol. 16	p. 26
	Sauces et garnitures pour omelettes cuites	Vol. 16	p. 58
Orge	Soupe à l'orge et aux légumes	Vol. 11	p. 86
Pacanes	Tarte aux fruits et aux pacanes	Vol. 13	p. 105
	Tarte aux pacanes	Vol. 3	p. 93
Pains	Pain à l'ail	Vol. 22	p. 28
	Pain au fromage et au riz	Vol. 16	p. 96
	Pain aux épices et aux pommes	Vol. 3	p. 36
	Pain blanc garni de graines de pavot	Vol. 3	p. 33
	Pain de blé entier	Vol. 3	p. 32
	Pain de blé entier aux bananes	Vol. 3	p. 34
	Pain de canneberges	Vol. 19	p. 100
	Pain farci	Vol. 25	p. 20
	Pouding au pain	Vol. 9	p. 70
	Sauce au pain	Vol. 11	p. 28
Pâtes alimentaires	Cannelloni au veau et aux épinards	Vol. 12	p. 50
	Fettucine Alfredo	Vol. 7	p. 100
	Fettucine au vin rouge	Vol. 12	p. 45
	Fettucine Verdi	Vol. 2	p. 92
	Fettucine Verdi	Vol. 6	p. 83
	Gnocchi à la crème	Vol. 12	p. 64
	Gnocchi au fromage	Vol. 15	p. 84
	Lasagne	Vol. 8	p. 88
	Lasagne au saumon	Vol. 12	p. 40
	Lasagne aux quatre fromages	Vol. 12	p. 38
	Lasagne traditionnelle	Vol. 12	p. 34
	Lasagne verte à la bolonaise	Vol. 12	p. 36
	Linguine aux champignons et à la crème	Vol. 12	p. 62
	Linguine aux crevettes et aux tomates	Vol. 21	p. 82
	Macaroni à la viande	Vol. 23	p. 82
	Macaroni au bœuf et au maïs	Vol. 14	p. 32
	Macaroni au cheddar	Vol. 12	p. 61
	Macaroni au fromage	Vol. 16	p. 82
	Macaroni au jambon	Vol. 14	p. 95
	Macaroni chinois	Vol. 1	p. 92

Pâtes alimentaires	Macaroni de grand-mère	Vol. 8	p. 86
	Manicotti au doré	Vol. 12	p. 53
	Manicotti aux épinards	Vol. 19	p. 84
	Nouilles au roquefort	Vol. 12	p. 46
	Nouilles au thon	Vol. 14	p. 94
	Ravioli aux pétoncles et au fenouil	Vol. 12	p. 58
	Salade de macaroni	Vol. 23	p. 30
	Soupe aux ravioli	Vol. 12	p. 56
	Spaghetti à la sauce au thon	Vol. 12	p. 28
	Spaghetti carbonara	Vol. 12	p. 24
	Spaghetti sauce à la viande	Vol. 12	p. 22
	Spaghettini à l'ail	Vol. 12	p. 30
	Spaghettini à l'aubergine	Vol. 14	p. 96
	Spaghettini aux fruits de mer	Vol. 6	p. 82
	Spaghettini aux légumes	Vol. 20	p. 72
	Spaghettini aux palourdes	Vol. 12	p. 26
	Tagliatelles à la tomate	Vol. 24	p. 30
	Tetrazzini au thon	Vol. 5	p. 78
	Tortellini à la crème	Vol. 12	p. 54
Petit déjeuner	Petit déjeuner du marmiton	Vol. 20	p. 44
Pistou	Sauce au pistou	Vol. 11	p. 44
Pizzas	Mini-pizza à l'italienne	Vol. 14	p. 102
	Mini-pizza à la napolitaine	Vol. 14	p. 101
	Mini-pizzas (enfants)	Vol. 20	p. 82
	Mini-pizzas	Vol. 16	p. 98
	Pizza-soufflé	Vol. 16	p. 90
	Pizzas	Vol. 20	p. 48
	Pizzas aux crevettes	Vol. 14	p. 105
Plum-pudding	Plum-pudding	Vol. 24	p. 54
Poissons	Croquettes de poisson à la crème de crevettes	Vol. 5	p. 92
	Bouillabaisse	Vol. 5	p. 54
	Brochettes de poisson et de fruits	Vol. 5	p. 58
	Chaudrée de poisson et courgettes	Vol. 5	p. 56
	Chaudrée du pêcheur	Vol. 19	p. 80
	Pilaf de poisson	Vol. 21	p. 76
	Poisson en papillotes	Vol. 24	p. 50
	Poisson grillé à la coriandre	Vol. 24	p. 60
	Sauce au fumet de poisson	Vol. 16	p. 58
Poissons — Aiglefin	Aiglefin fumé	Vol. 24	p. 56
	Aiglefin poché au lait	Vol. 5	p. 61
	Filet d'aiglefin aux champignons	Vol. 22	p. 68
Poissons — Bar	Bar à la vapeur, accompagné de haricots noirs	Vol. 18	p. 56
Poissons — Barbotte	Barbottes au beurre citronné	Vol. 5	p. 83
Poissons — Brochet	Brochet à la sauce aux câpres	Vol. 5	p. 96
Poissons — Doré	Doré farci aux raisins verts	Vol. 5	p. 50
	Filets de doré sautés au beurre	Vol. 5	p. 53
Poissons — Éperlans	Éperlans à la sauce rose	Vol. 5	p. 82
Poissons — Flétan	Darnes de flétan	Vol. 22	p. 70
	Darnes de flétan en feuilles	Vol. 5	p. 88
	Filets de flétan au brocoli	Vol. 5	p. 86
Poissons — Hareng	Hareng à la mode d'Oslo	Vol. 24	p. 88
	Hareng salé mariné	Vol. 5	p. 94

Poissons	Filets de maquereau en sauce aigre-douce	Vol. 5	p. 68
— Maquereau	Maquereaux aux poireaux.	Vol. 5	p. 66
Poissons — Morue	Darnes de morue aux légumes	Vol. 5	p. 70
	Ragoût de morue	Vol. 14	p. 90
Poissons	Perchaude à la bière	Vol. 5	p. 84
— Perchaude			
Poissons — Perche	Perche aux tomates	Vol. 5	p. 72
Poissons — Rougets	Rouget en papillotes	Vol. 5	p. 90
Poissons — Sardines	Entrée de sardines	Vol. 15	p. 30
Poissons — Saumon	Darnes de saumon à la duxelles	Vol. 5	p. 32
	Lasagne au saumon	Vol. 12	p. 40
	Manicotti au saumon	Vol. 5	p. 34
	Mousse de saumon	Vol. 22	p. 26
	Œufs brouillés au saumon fumé	Vol. 16	p. 50
	Omelette au saumon	Vol. 16	p. 36
	Pain d'œufs et de saumon	Vol. 16	p. 56
	Pain de fromage et de saumon	Vol. 14	p. 88
	Pain de saumon	Vol. 20	p. 68
	Pain de saumon en anneau	Vol. 5	p. 36
	Saumon à l'armagnac	Vol. 25	p. 34
	Saumon en croûte	Vol. 5	p. 30
	Saumon entier farci aux crevettes	Vol. 5	p. 28
	Saumon, sauce à l'aneth	Vol. 21	p. 80
	Vol-au-vent au saumon	Vol. 8	p. 100
Poissons — Sébaste	Filets de sébaste sur lit d'épinards	Vol. 5	p. 64
	Sébaste aux fines herbes	Vol. 5	p. 62
Poissons — Sole	Filets de sole à la créole	Vol. 22	p. 74
	Filets de sole amandine	Vol. 5	p. 45
	Filets de sole aux crevettes	Vol. 22	p. 72
	Filets de sole farcis	Vol. 5	p. 42
	Filets de sole panés à l'italienne	Vol. 5	p. 46
	Mousse de sole	Vol. 25	p. 94
	Roulades de sole sauce tropicale	Vol. 5	p. 48
Poissons — Thon	Darnes de thon à la sauce hollandaise	Vol. 5	p. 76
	Daube de thon	Vol. 24	p. 84
	Gratin au thon	Vol. 5	p. 80
	Nouilles au thon	Vol. 14	p. 94
	Omelette au thon	Vol. 5	p. 74
	Spaghetti à la sauce au thon	Vol. 12	p. 28
	Tetrazzini au thon	Vol. 5	p. 78
	Thon à la florentine	Vol. 19	p. 74
Poissons — Truites	Truite au bleu	Vol. 5	p. 38
	Truite saumonnée au vin rouge	Vol. 5	p. 104
	Truites à la crème sure	Vol. 5	p. 40
	Truites aux amandes	Vol. 24	p. 22
	Truites aux câpres	Vol. 22	p. 104
	Truites Mi-Chiu (saké)	Vol. 18	p. 64
Porc	Bacon de dos	Vol. 4	p. 84
	Bacon en tranches	Vol. 4	p. 84
	Boulettes de porc	Vol. 18	p. 46
	Brochettes de porc et de pruneaux	Vol. 4	p. 66
	Chop suey au porc (base de porc)	Vol. 4	p. 96

Porc

Chop suey au porc	Vol. 18	p. 53
Choucroute et porc	Vol. 4	p. 94
Côtelettes de porc	Vol. 4	p. 54
Côtelettes de porc à la napolitaine	Vol. 4	p. 64
Côtelettes de porc à la normande	Vol. 4	p. 58
Côtelettes de porc à la sauce piquante	Vol. 4	p. 62
Côtelettes de porc aux fines herbes	Vol. 4	p. 61
Côtelettes de porc dorées	Vol. 4	p. 50
Côtelettes de porc en papillottes	Vol. 4	p. 56
Côtelettes de porc sur nid de macaroni	Vol. 4	p. 70
Côtes de porc à la sauce aigre-douce	Vol. 4	p. 68
Côtes levées	Vol. 22	p. 56
Côtes levées à l'orientale	Vol. 18	p. 40
Cretons (porc)	Vol. 22	p. 24
Cretons (veau)	Vol. 19	p. 53
Cretons de grand-mère	Vol. 23	p. 60
Émincé de porc aux fines herbes	Vol. 4	p. 72
Feuilles de laitue farcies au porc	Vol. 18	p. 42
Filet de porc Chiang Yu Wong (sauce soja)	Vol. 18	p. 50
Fricassée à la saucisse	Vol. 4	p. 90
Mignons de porc bordelaise	Vol. 4	p. 76
Pâté au porc	Vol. 4	p. 74
Porc à l'oignon	Vol. 14	p. 38
Porc au fenouil	Vol. 4	p. 78
Porc au poivron	Vol. 14	p. 44
Porc aux châtaignes	Vol. 24	p. 66
Porc aux fines herbes	Vol. 14	p. 42
Porc aux poireaux	Vol. 14	p. 40
Porc aux pommes de terre douces	Vol. 24	p. 78
Porc aux pommes de terre sucrées	Vol. 4	p. 83
Porc aux pruneaux	Vol. 22	p. 58
Porc en fromage	Vol. 23	p. 31
Porc fermière	Vol. 4	p. 80
Porc haché au brocoli	Vol. 18	p. 48
Porc Kiang (gingembre)	Vol. 18	p. 45
Porc Mu-Shu (Porc Tsung)	Vol. 18	p. 26
Porc rôti au miel sur riz	Vol. 18	p. 38
Porc sauté aux champignons	Vol. 22	p. 62
Porc surprise	Vol. 4	p. 53
Porc Tsung	Vol. 18	p. 26
Ragoût de pattes de porc	Vol. 25	p. 98
Ragoût de pattes de porc (Québec)	Vol. 24	p. 102
Recettes dérivées de la préparation de porc	Vol. 14	p. 26
Rillettes maison	Vol. 4	p. 82
Riz au porc et au légumes	Vol. 12	p. 76
Rôti de porc	Vol. 25	p. 46
Rôti de porc avec pommes de terre au jus	Vol. 4	p. 22
Rôti de porc en couronne	Vol. 4	p. 104
Rôti de porc farci aux pruneaux	Vol. 4	p. 30
Rôti de porc glacé	Vol. 4	p. 24
Rôti de porc ibérien	Vol. 4	p. 28
Saucisses aux pommes	Vol. 4	p. 88

Porc	Saucisses et bacon	Vol. 23	p. 80
	Tête en fromage	Vol. 15	p. 96
	Tourtière québécoise	Vol. 4	p. 86
Porc — Jambon	Bouchées au jambon	Vol. 4	p. 46
	Boulettes de jambon	Vol. 21	p. 68
	Jambon à l'ananas	Vol. 4	p. 32
	Jambon à l'érable (épaule)	Vol. 4	p. 34
	Jambon à l'érable (fesse)	Vol. 23	p. 52
	Jambon à l'orange	Vol. 22	p. 61
	Jambon à la bière	Vol. 23	p. 22
	Jambon canadien	Vol. 4	p. 42
	Jambon et nouilles gratinées	Vol. 4	p. 40
	Jambon et œuf	Vol. 20	p. 64
	Jambon glacé au four	Vol. 4	p. 38
	Jambon glacé aux pêches	Vol. 11	p. 53
	Jambon Parmentier	Vol. 4	p. 45
	Macaroni au jambon	Vol. 14	p. 95
	Mousse au jambon	Vol. 15	p. 92
	Pain de jambon	Vol. 4	p. 36
	Rouleaux de jambon et de brocoli	Vol. 25	p. 44
	Roulés au jambon	Vol. 15	p. 48
	Terrine de jambon et d'œufs	Vol. 23	p. 42
	Vol-au-vent au jambon	Vol. 4	p. 48
Pot-au-feu	Pot-au-feu Nouvelle-Angleterre	Vol. 24	p. 94
Pot-en-pot	Pot-en-pot aux fruits de mer	Vol. 24	p. 100
Poudings	Pouding au citron et à l'ananas	Vol. 9	p. 71
	Pouding au pain	Vol. 9	p. 70
	Pouding au riz	Vol. 9	p. 66
	Pouding au tapioca	Vol. 9	p. 68
	Pouding boule de neige	Vol. 3	p. 79
	Pouding chômeur	Vol. 3	p. 78
	Pouding en fête	Vol. 23	p. 96
	Pouding flambé au rhum	Vol. 3	p. 76
	Pouding magie noire	Vol. 9	p. 69
Quiches	Quiche à la hambourgeoise	Vol. 8	p. 90
	Quiche au brocoli et au fromage	Vol. 16	p. 86
	Quiche au chou	Vol. 13	p. 54
	Quiche au chou-fleur	Vol. 15	p. 72
	Quiche au crabe	Vol. 16	p. 88
	Quiche au poulet et au brocoli	Vol. 2	p. 86
	Quiche au riz	Vol. 12	p. 74
	Quiche au tofu	Vol. 13	p. 101
	Quiche aux fruits de mer	Vol. 6	p. 90
	Quiche-miche	Vol. 20	p. 52
Raifort	Sauce au raifort	Vol. 11	p. 24
Riz	Casserole de riz et de poulet	Vol. 18	p. 80
	Farce au riz et à l'orange	Vol. 12	p. 80
	Farce au riz et aux légumes	Vol. 12	p. 78
	Œufs brouillés au riz	Vol. 16	p. 53
	Pain au fromage et au riz	Vol. 16	p. 96
	Pouding au riz	Vol. 9	p. 66
	Quiche au riz	Vol. 12	p. 74

Sauces	Sauce pour canard	Vol. 17	p. 58
	Sauce provençale	Vol. 11	p. 25
	Sauce rose	Vol. 11	p. 38
	Sauce rouge	Vol. 18	p. 72
	Sauce Soubise	Vol. 11	p. 24
	Sauce Tartare	Vol. 11	p. 18
	Sauce Teriyaki	Vol. 11	p. 50
	Sauce tomate pour pizza	Vol. 11	p. 42
	Sauce Vaucluse	Vol. 11	p. 28
	Sauce veloutée	Vol. 16	p. 58
	Sauces et assaisonnements pour la volaille	Vol. 2	p. 20
	Sauces et farces	Vol. 17	p. 58
	Sauces et garnitures pour omelettes cuites	Vol. 16	p. 58
	Sauces froides pour hors-d'oeuvre froids	Vol. 15	p. 14
Saucisses	Boulettes de chair à saucisse	Vol. 14	p. 80
	Brochettes de saucisses	Vol. 20	p. 56
	Fricassée à la saucisse	Vol. 4	p. 90
	Saucisses aux pommes	Vol. 4	p. 88
	Saucisses de bœuf	Vol. 8	p. 74
	Saucisses de bœuf avec haricots	Vol. 8	p. 96
	Saucisses épicées	Vol. 15	p. 45
	Saucisses et bacon	Vol. 23	p. 80
Son	Muffins au son et à la mélasse	Vol. 3	p. 44
Sorbet	Sorbet aux tomates	Vol. 6	p. 100
	Sorbet au gingembre et aux mandarines	Vol. 9	p. 62
	Sorbet aux fraises	Vol. 2	p. 105
Soufflés	Soufflé aux tomates	Vol. 22	p. 30
Soupes, crèmes et potages	Bisque de fruits de mer	Vol. 11	p. 76
	Crème d'asperges	Vol. 5	p. 100
	Crème de carottes	Vol. 11	p. 64
	Crème de champignons	Vol. 11	p. 68
	Crème de concombres et de fonds d'artichauts	Vol. 11	p. 72
	Crème de homard	Vol. 11	p. 76
	Crème de poireaux	Vol. 11	p. 72
	Crème de poireaux et de brocoli	Vol. 21	p. 36
	Crème de rutabaga	Vol. 21	p. 30
	Gaspacho	Vol. 11	p. 102
	Potage à la citrouille	Vol. 19	p. 26
	Potage à la purée de pois	Vol. 11	p. 66
	Potage au céleri	Vol. 19	p. 34
	Potage au crabe	Vol. 21	p. 28
	Potage au poulet, jambon et riz	Vol. 24	p. 83
	Potage aux carottes	Vol. 21	p. 32
	Potage aux concombres et aux tomates	Vol. 21	p. 24
	Potage aux légumes	Vol. 11	p. 88
	Potage de cresson	Vol. 20	p. 20
	Potage de poireaux	Vol. 1	p. 100
	Potage du pêcheur	Vol. 19	p. 28
Soupes, crèmes et potages	Soupe à l'oignon gratinée	Vol. 11	p. 94
	Soupe à l'orge et aux légumes	Vol. 11	p. 86
	Soupe à la morue	Vol. 11	p. 78
	Soupe au bœuf	Vol. 21	p. 26

Terrines	Terrine de brocoli	Vol. 21	p. 42
	Terrine de foie de poulet et de porc	Vol. 15	p. 94
	Terrine de jambon et d'œufs	Vol. 23	p. 42
Tofu	Gâteau au tofu	Vol. 21	p. 100
	Quiche au tofu	Vol. 13	p. 101
	Riz au tofu, à la mode orientale	Vol. 19	p. 46
Tomates	Gâteau aux tomates	Vol. 9	p. 44
	Ketchup aux tomates	Vol. 13	p. 74
	Mousse de tomates	Vol. 13	p. 82
	Œufs pochés en sauce tomate	Vol. 16	p. 45
	Omelette au coulis de tomates	Vol. 23	p. 92
	Sauce tomate pour pizza	Vol. 11	p. 42
	Sorbet aux tomates	Vol. 6	p. 100
	Soufflé aux tomates	Vol. 22	p. 30
	Tagliatelles à la tomate	Vol. 24	p. 30
	Tomates à l'italienne	Vol. 23	p. 70
	Tomates à la provençale	Vol. 13	p. 76
	Tomates farcies	Vol. 17	p. 104
	Tomates farcies à la dinde	Vol. 2	p. 41
	Tomates farcies au riz	Vol. 15	p. 62
	Tomates farcies aux œufs	Vol. 16	p. 61
Tourtières	Tourtières	Vol. 25	p. 100
	Tourtière québécoise	Vol. 4	p. 86
Trempettes	Trempettes	Vol. 23	p. 80
Vanille	Garniture à la vanille	Vol. 3	p. 72
Veau	Blanquette de veau	Vol. 10	p. 52
	Casserole de veau	Vol. 10	p. 28
	Cervelle de veau	Vol. 10	p. 58
	Émincé de veau à la crème	Vol. 25	p. 76
	Escalopes de veau	Vol. 19	p. 64
	Escalopes de veau à la crème	Vol. 12	p. 104
	Escalopes de veau cordon bleu	Vol. 10	p. 45
	Escalopes de veau parmigiana	Vol. 10	p. 42
	Farce de veau et d'épinards	Vol. 12	p. 52
	Filet de veau à la compote de fruits	Vol. 10	p. 38
	Filet de veau accompagné de riz	Vol. 14	p. 82
	Foie de veau	Vol. 10	p. 34
	Fricassée de veau	Vol. 10	p. 54
	Galantine de veau	Vol. 10	p. 50
	Jarret de veau	Vol. 10	p. 36
	Osso bucco	Vol. 24	p. 26
	Pain de veau	Vol. 10	p. 56
	Pain de veau et de légumes	Vol. 21	p. 66
	Paupiettes de veau	Vol. 10	p. 40
	Pot-au-feu	Vol. 10	p. 82
	Rôti d'épaule de veau au chou	Vol. 10	p. 24
	Rôti de croupe de veau aux épices	Vol. 10	p. 30
	Rôti de veau	Vol. 10	p. 22
	Rôti de veau de lait	Vol. 10	p. 20
	Roulades de veau	Vol. 24	p. 90
	Roulé de veau	Vol. 10	p. 104
	Sauté de veau marengo	Vol. 10	p. 48

Veau	Veau aux légumes	Vol. 22	p. 80
	Wienerschnitzel	Vol. 10	p. 46
Volailles	Farces (Suggestions pour vos volailles)	Vol. 7	p. 40
	Mini-brochettes de volaille	Vol. 15	p. 46
	Sauces et assaisonnements pour la volaille	Vol. 2	p. 20
	Variations sur le thème de la farce	Vol. 2	p. 105
Volailles — Abats	Nouilles aux foies de poulet	Vol. 2	p. 68
Volailles — Cailles	Cailles à l'oignon	Vol. 7	p. 54
	Cailles au vin blanc	Vol. 7	p. 56
	Cailles aux raisins verts	Vol. 2	p. 46
	Casserole de cailles aux petits pois	Vol. 7	p. 61
Volailles — Canard	Canard en gelée	Vol. 18	p. 34
	Canard à l'orientale	Vol. 7	p. 50
	Canard à la provençale	Vol. 7	p. 46
	Canard aux olives	Vol. 7	p. 53
	Canardeau à l'orange	Vol. 2	p. 44
	Caneton rôti en sauce	Vol. 7	p. 48
Volailles — Coq	Coq au vin	Vol. 7	p. 42
	Coq farci rôti	Vol. 7	p. 45
Volailles — Dinde	Avocats farcis à la dinde	Vol. 14	p. 50
	Casserole de dinde au fromage	Vol. 14	p. 52
	Côtelettes de dinde marinées	Vol. 7	p. 28
	Couronne de dinde	Vol. 14	p. 46
	Croquettes de dinde au bacon	Vol. 2	p. 36
	Dinde au paprika	Vol. 2	p. 43
	Dinde aux légumes	Vol. 7	p. 24
	Dinde braisée jardinière	Vol. 2	p. 26
	Dinde désossée aux fines herbes	Vol. 2	p. 34
	Dinde du temps des Fêtes	Vol. 25	p. 24
	Dinde en sauce sur pain	Vol. 7	p. 30
	Dinde farcie	Vol. 2	p. 104
	Dinde farcie au pain de maïs	Vol. 7	p. 22
	Dinde rôtie	Vol. 2	p. 24
	Dinde Véronique	Vol. 14	p. 48
	Escalopes de dinde	Vol. 2	p. 28
	Fettucine verdi	Vol. 2	p. 92
	Glaces et sauces pour la dinde	Vol. 2	p. 23
	Languettes de dinde à l'orientale	Vol. 2	p. 73
	Recettes dérivées de la préparation de dinde	Vol. 14	p. 28
	Tomates farcies à la dinde	Vol. 2	p. 41
	Ragoût de dinde	Vol. 2	p. 32
	Roulé de dinde aux épinards et aux oignons verts	Vol. 2	p. 38
Volailles — Oie	Oie à la crème	Vol. 17	p. 64
	Oie à la française	Vol. 7	p. 36
	Oie au cognac	Vol. 7	p. 34
Volailles — Pintade	Pintade aux framboises	Vol. 7	p. 104
Volailles — Poulet	Poulet au pot	Vol. 2	p. 82
	Ailes de poulet à l'ail	Vol. 2	p. 72
	Brochettes de poulet	Vol. 2	p. 70
	Casserole de riz et de poulet	Vol. 18	p. 80
	Couscous au poulet et aux crevettes	Vol. 2	p. 96
	Feuilles de chou farcies au poulet	Vol. 2	p. 90

Volailles — Poulet	Fricassée de poulet	Vol. 7	p. 90
	Mini-brochettes de volaille	Vol. 15	p. 46
	Omelette au poulet	Vol. 2	p. 88
	Pâté au poulet et aux poireaux	Vol. 23	p. 54
	Pâtés au poulet	Vol. 7	p. 88
	Paupiettes de poulet	Vol. 22	p. 48
	Poitrines de poulet divan	Vol. 7	p. 80
	Poitrines de poulet en cocotte	Vol. 2	p. 76
	Poitrines de poulet suprême	Vol. 2	p. 74
	Poulet (Kai) aux arachides	Vol. 18	p. 28
	Poulet à l'ail	Vol. 23	p. 64
	Poulet à l'italienne	Vol. 7	p. 72
	Poulet à l'orange	Vol. 2	p. 66
	Poulet à la chinoise	Vol. 22	p. 46
	Poulet à la Kiev	Vol. 2	p. 48
	Poulet à la king	Vol. 2	p. 84
	Poulet à la sauce au piment et aux tomates	Vol. 24	p. 76
	Poulet à la sauce Lo Chou (sauce soja)	Vol. 18	p. 36
	Poulet à la sauce madère	Vol. 7	p. 78
	Poulet au brocoli	Vol. 18	p. 30
	Poulet au champagne	Vol. 7	p. 76
	Poulet au citron	Vol. 2	p. 64
	Poulet au cumin	Vol. 22	p. 44
	Poulet au gingembre	Vol. 2	p. 80
	Poulet au safran	Vol. 2	p. 52
	Poulet au vin et aux fines herbes	Vol. 2	p. 62
	Poulet au yaourt et aux champignons	Vol. 21	p. 58
	Poulet aux abricots	Vol. 19	p. 58
	Poulet aux arachides	Vol. 18	p. 28
	Poulet aux carottes, sauce au sésame	Vol. 24	p. 70
	Poulet aux champignons (poulet en morceaux)	Vol. 19	p. 62
	Poulet aux champignons (poitrines entières)	Vol. 14	p. 84
	Poulet aux fines herbes	Vol. 21	p. 56
	Poulet aux fruits	Vol. 18	p. 32
	Poulet aux pêches	Vol. 7	p. 82
	Poulet aux pistaches	Vol. 7	p. 68
	Poulet aux quarante gousses	Vol. 7	p. 66
	Poulet cacciatore	Vol. 2	p. 94
	Poulet chasseur	Vol. 7	p. 92
	Poulet citronné au persil	Vol. 2	p. 78
	Poulet divan	Vol. 20	p. 60
	Poulet en casserole	Vol. 7	p. 94
	Poulet farci au céleri et aux noix	Vol. 2	p. 50
	Poulet farci au fromage	Vol. 19	p. 56
	Poulet grand-père	Vol. 2	p. 60
	Poulet laqué au miel	Vol. 18	p. 24
	Poulet parmigiana	Vol. 7	p. 70
	Poulet rôti à l'origan	Vol. 7	p. 74
	Poulet sauté à la crème sure	Vol. 7	p. 96
	Poulet sauté aux légumes	Vol. 7	p. 83
	Poulet sur croissant	Vol. 7	p. 84
	Quiche au poulet et au brocoli	Vol. 2	p. 86

Volailles — Poulet	Recette de base de poulet	Vol. 2	**p. 58**
	Riz de poulet	Vol. 12	**p. 94**
	Riz pilaf au poulet	Vol. 2	**p. 59**
	Rouleaux de poulet au crabe	Vol. 22	**p. 53**
	Salade de poulet	Vol. 2	**p. 57**
	Sandwich chaud au poulet	Vol. 7	**p. 86**
	Terrine de foie de poulet et de porc	Vol. 15	**p. 94**
	Vol-au-vent au poulet et au riz	Vol. 12	**p. 96**
Volailles — Poulet de Cornouailles	Poulet de Cornouailles farci	Vol. 22	**p. 50**
	Poulets de Cornouailles aux cerises noires	Vol. 7	**p. 62**
	Poulets de Cornouailles farcis à la saucisse	Vol. 7	**p. 64**
Yaourt	Poulet au yaourt et aux champignons	Vol. 21	**p. 58**
	Surprise au yaourt	Vol. 8	**p. 53**
	Yaourt aux bleuets et au miel	Vol. 23	**p. 37**

Index
des trucs

A

B

Abricots (Les)	Vol. 19 **p. 60**
Agneau (Comment choisir la viande d')	Vol. 10 **p. 71**
Agneau (Deux sauces classiques pour accompagner l')	Vol. 10 **p. 89**
Agneau (Pour bien mariner les pièces de veau ou d')	Vol. 10 **p. 105**
Aiglefin (Pour décongeler des filets d')	Vol. 5 **p. 97**
Ail (Pour peler des gousses d'— sans difficulté)	Vol. 1 **p. 59**
Ail (Pour remplacer l')	Vol. 19 **p. 35**
Amandes (Comment monder les)	Vol. 18 **p. 91**
Amandes au four à micro-ondes (Pour faire griller des)	Vol. 4 **p. 49**
Aplatir les escalopes de veau	Vol. 10 **p. 51**
Appareils électroménagers (L'usage des ustensiles et des)	Vol. 14 **p. 97**
Aquavit (Un verre d')	Vol. 24 **p. 88**
Asperges (Cuisson des —, du brocoli et du chou-fleur)	Vol. 11 **p. 86**
Aspics (Pour plus de variété : les)	Vol. 25 **p. 23**
Attaches (Si on ne dispose plus d')	Vol. 23 **p. 23**
Attendrir la chair du poulet (Pour)	Vol. 7 **p. 87**

Bacon (Pour séparer les tranches de — congelées)	Vol. 1 **p. 49**
Barder le gibier et mariner la viande	Vol. 17 **p. 69**
Barder un rôti de veau (L'art de)	Vol. 10 **p. 49**
Beurre (Pour clarifier du)	Vol. 13 **p. 89**
Beurre (Pour faire ramollir le — au four)	Vol. 4 **p. 97**
Beurre à l'ail (Pour préparer rapidement un)	Vol. 6 **p. 93**
Beurre et margarine : frères de graisse	Vol. 19 **p. 61**
Beurre meunière (Pour préparer du)	Vol. 5 **p. 59**
Biftteck (Faire revenir le)	Vol. 8 **p. 17**
Biftecks (Pour décongeler les)	Vol. 8 **p. 49**
Biftecks hachés (Pour décongeler vos)	Vol. 8 **p. 31**
Bigorneau (Pour retirer un —, un buccin ou un escargot de sa coquille)	Vol. 6 **p. 71**
Biscuits dorés (Pour des)	Vol. 3 **p. 23**
Biscuits (Pour éviter la surcuisson des —)	Vol. 3 **p. 27**
Blanchiment des légumes (Pour réussir le)	Vol. 14 **p. 31**
Bleuets (Savoir choisir ses)	Vol. 24 **p. 105**
Bœuf haché (Pour congeler de grandes quantités de)	Vol. 1 **p. 73**
Boulettes (Pour une décongélation et une cuisson uniformes des cubes et des —)	Vol. 8 **p. 41**
Bouquet garni (Le)	Vol. 8 **p. 59**
Bouquet garni (Pour faire un)	Vol. 4 **p. 87**
Bouquet garni et les légumes d'accompagnement	Vol. 17 **p. 61**
Brocoli (Comment choisir le)	Vol. 5 **p. 87**
Brocoli (Cuisson des asperges, du — et du chou-fleur)	Vol. 11 **p. 86**
Brocoli (La cuisson du)	Vol. 18 **p. 38**
Brocoli (Pour utiliser tout le)	Vol. 20 **p. 60**
Buccin (Pour retirer un bigorneau, un — ou un escargot de sa coquille)	Vol. 6 **p. 71**

C

Café (Pour réchauffer un reste de)	Vol. 6	**p. 87**
Canard (Décongélation des morceaux de)	Vol. 2	**p. 45**
Canard (La cuisson du)	Vol. 2	**p. 45**
Cassonade (Pour ramollir la — durcie)	Vol. 3	**p. 21**
Champignons (Le nettoyage des)	Vol. 11	**p. 91**
Champignons (Les)	Vol. 1	**p. 43**
Chapelure (Comment faire soi-même des croûtons et de la)	Vol. 23	**p. 75**
Chapelure (Comment faire une)	Vol. 7	**p. 73**
Chapelure maison	Vol. 21	**p. 52**
Chapelure maison (idée-budget)	Vol. 16	**p. 83**
Chili (Le — : un peu plus, un peu moins)	Vol. 19	**p. 73**
Chocolat (Pour faire fondre le)	Vol. 3	**p. 95**
Chocolat (Pour faire un enrobage au)	Vol. 3	**p. 25**
Chocolat (Pour râper le — aisément)	Vol. 9	**p. 89**
Chou-fleur (Cuisson des asperges, du brocoli et du)	Vol. 11	**p. 86**
Choucroute (Qu'est-ce que la)	Vol. 24	**p. 47**
Collations santé	Vol. 19	**p. 61**
Compote (Pour que la — ne tourne pas à la purée)	Vol. 9	**p. 91**
Compote plus savoureuse (Pour une)	Vol. 25	**p. 33**
Congélation (Pour bien protéger vos viandes à congeler)	Vol. 8	**p. 57**
Congélation (Pour congeler de grandes quantités de bœuf haché)	Vol. 1	**p. 73**
Congélation (Quelques trucs de)	Vol. 22	**p. 29**
Congélation des morceaux de forme irrégulière (La)	Vol. 1	**p. 15**
Congélation des pains de viande (La)	Vol. 1	**p. 85**
Congélation des pâtes (La)	Vol. 14	**p. 38**
Congélation des pilons panés (La)	Vol. 7	**p. 73**
Congélation et la décongélation des mollusques (La)	Vol. 6	**p. 19**
Congeler et décongeler le fromage (Pour)	Vol. 16	**p. 105**
Congeler mieux pour mieux décongeler	Vol. 14	**p. 105**
Conservation du foie de veau (La)	Vol. 10	**p. 17**
Conservation du poisson frais	Vol. 5	**p. 31**
Conserver le persil et le cresson frais (Pour)	Vol. 10	**p. 91**
Conserver le zeste de citron ou d'orange (Pour)	Vol. 10	**p. 91**
Conversion d'une recette de gâteau pour le four traditionnel (La)	Vol. 9	**p. 105**
Corps gras (Pour mesurer facilement les)	Vol. 9	**p. 37**
Couper sans danger (Pour)	Vol. 20	**p. 35**
Couper un aliment en rondelles (Pour)	Vol. 20	**p. 32**
Courges (Des — toute l'année)	Vol. 21	**p. 31**
Courgettes (Les — aiment toutes sortes de farces)	Vol. 15	**p. 38**
Couteaux (Comment affiler les)	Vol. 5	**p. 15**
Crabe (Pour extraire la chair des pattes de)	Vol. 6	**p. 63**
Crabe (Quelques façons simples et économiques d'apprêter la chair de)	Vol. 6	**p. 60**
Cresson (Pour égoutter facilement le)	Vol. 20	**p. 20**
Crevettes (Pour ajouter de la variété aux plats de)	Vol. 6	**p. 20**
Crevettes (Une façon de préparer les)	Vol. 11	**p. 76**
Crevettes fraîches (Pour décortiquer les)	Vol. 6	**p. 35**
Croustilles de maïs	Vol. 19	**p. 67**
Croûte au four à micro-ondes (Pour réussir une)	Vol. 2	**p. 12**
Croûte ferme (Pour une)	Vol. 3	**p. 95**
Croûte de tarte (Pour une succulente — au fromage)	Vol. 16	**p. 71**
Croûtons (Comment faire soi-même des — et de la chapelure)	Vol. 23	**p. 75**
Crustacés (Les petits)	Vol. 6	**p. 21**
Cubes (Pour une décongélation et une cuisson uniforme des — et des boulettes)	Vol. 8	**p. 41**
Cuisson (Pour une — uniforme des flancs)	Vol. 16	**p. 93**
Cuisson (Décongélation et — réunies)	Vol. 1	**p. 22**
Cuisson surélever(En hauteur, c'est meilleur)	Vol. 15	**p. 97**
Cuisson (Évitez la surcuisson)	Vol. 15	**p. 83**
Cuisson (Pour que les aliments soient bien cuits)	Vol. 20	**p. 48**
Cuisson (Préparation pour la)	Vol. 2	**p. 14**
Cuisson (Vérification de la)	Vol. 2	**p. 105**
Cuisson d'un gâteau (La conversion d'une recette de gâteau pour le four traditionnel)	Vol. 9	**p. 105**
Cuisson d'un gâteau (Pour bien cuire la pâte d'un gâteau)	Vol. 9	**p. 33**
Cuisson d'un pain de viande (Pour vérifier la)	Vol. 10	**p. 97**
Cuisson d'un poulet entier (Pour réussir la)	Vol. 2	**p. 22**
Cuisson d'une quiche (Pour vérifier le degré de)	Vol. 16	**p. 87**
Cuisson d'une tranche de jambon (La)	Vol. 4	**p. 63**

C

Cuisson dans un plat   Vol. 7   **p. 77**

Cuisson de l'agneau (Pour que le gigot soit le plus tendre possible)   Vol. 10 **p. 77**

Cuisson de la volaille (Pour bien réussir la)   Vol. 11 **p. 68**

Cuisson des morceaux de volaille   Vol. 7   **p. 19**

Cuisson des asperges, du brocoli et du chou-fleur   Vol. 11 **p. 86**

Cuisson des boulettes (Disposition des boulettes pour la cuisson)   Vol. 8   **p. 93**

Cuisson des endives (Pour éviter que les endives noircissent à la cuisson)   Vol. 13 **p. 91**

Cuisson des fruits (Comment cuire ensemble des fruits différents)   Vol. 9   **p. 93**

Cuisson (Pour faire lever les gâteaux)   Vol. 3   **p. 50**

Cuisson des gâteaux (Pour vérifier la)   Vol. 1   **p. 105**

Cuisson des légumes (Comment accélérer la cuisson des légumes fermes)   Vol. 14 **p. 47**

Cuisson des légumes (Comment cuire le riz ou les — dans un plat sans couvercle)   Vol. 18 **p. 54**

Cuisson des légumes (Conseils pratiques pour la)   Vol. 5   **p. 57**

Cuisson des légumes (La — au four à micro-ondes)   Vol. 17 **p. 89**

Cuisson des légumes (La)   Vol. 1   **p. 27**

Cuisson des légumes (Le temps de cuisson des légumes blanchis)   Vol. 14 **p. 89**

Cuisson des légumes (Pour déterminer le temps de cuisson de plusieurs légumes)   Vol. 13 **p. 29**

Cuisson des légumes (Pour une cuisson parfaite des légumes)   Vol. 13 **p. 25**

Cuisson des légumes (Pour une cuisson uniforme des légumes)   Vol. 2   **p. 33**

Cuisson des légumes surgelés   Vol. 25 **p. 88**

Cuisson des légumes surgelés (Pour une préparation encore plus rapide des légumes)   Vol. 13 **p. 65**

Cuisson des moules (La)   Vol. 15 **p. 26**

Cuisson des pâtes (Pour cuire rapidement cannelloni et lasagnes)   Vol. 12 **p. 60**

Cuisson des poissons (Pour bien réussir la)   Vol. 11 **p. 20**

Cuisson des pommes de terre (Pour des pommes de terre cuites à point)   Vol. 13 **p. 38**

Cuisson des pommes de terre (Pour savoir si les pommes de terre sont cuites)   Vol. 20 **p. 28**

Cuisson du brocoli (Comment cuire le brocoli)   Vol. 7   **p. 81**

Cuisson du canard (La)   Vol. 2   **p. 45**

Cuisson du gibier (Pour une cuisson uniforme)   Vol. 17 **p. 38**

Cuisson du jambon (Comment cuire et glacer une tranche de jambon)   Vol. 23 **p. 53**

Cuisson du pain (La)   Vol. 3   **p. 37**

Cuisson du pain (Pour réussir le pain sans levain)   Vol. 9   **p. 21**

Cuisson du poisson (Bien cuire le poisson pour ne pas altérer sa chair délicate)   Vol. 5   **p. 23**

Cuisson du poisson (Ne pas trop cuire le poisson)   Vol. 5   **p. 65**

Cuisson du porc (Pour vérifier la)   Vol. 4   **p. 95**

Cuisson du poulet (Pour obtenir du poulet croustillant)   Vol. 7   **p. 87**

Cuisson du riz (Comment cuire le — ou les légumes dans un plat sans couvercle)   Vol. 18 **p. 54**

Cuisson du riz (La cuisson du — au four à micro-ondes)   Vol. 18 **p. 59**

Cuisson du riz (Le temps de)   Vol. 12 **p. 69**

Cuisson du riz (Pour cuire du riz à long grain aux micro-ondes)   Vol. 5   **p. 105**

Cuisson et décongélation (Pour une décongélation et une cuisson uniformes des cubes)   Vol. 8   **p. 41**

Cuisson et le réchauffage des pâtes (La)   Vol. 11 **p. 44**

Cuisson uniforme (Pour les légumes)   Vol. 13 **p. 57**

D

Décongélation (Conseil pratique sur la)	Vol. 5	**p. 65**
Décongélation (La congélation et la — des mollusques)	Vol. 6	**p. 19**
Décongélation (Des plats en sauce)	Vol. 8	**p. 35**
Décongélation (— uniforme)	Vol. 17	**p. 21**
Décongélation d'une volaille entière	Vol. 2	**p. 19**
Décongélation des boulettes de viande (La)	Vol. 17	**p. 49**
Décongélation des cuisses de poulet (La)	Vol. 7	**p. 95**
Décongélation des fruits (Pour décongeler des fruits contenus dans un sac de plastique)	Vol. 14	**p. 77**
Décongélation des fruits (Pour décongeler les fruits contenus dans des boîtes)	Vol. 14	**p. 45**
Décongélation des légumes (Comment décongeler la moitié d'un paquet de légumes)	Vol. 14	**p. 37**
Décongélation des légumes (Pour décongeler de petites portions de légumes)	Vol. 13	**p. 79**
Décongélation des morceaux de canard	Vol. 2	**p. 45**
Décongélation des morceaux de poulet (La)	Vol. 7	**p. 17**
Décongélation du pain (Pour décongeler le pain)	Vol. 13	**p. 95**
Décongélation du poisson (Pour décongeler des bâtonnets de poisson surgelés)	Vol. 5	**p. 71**
Décongélation du poisson (Pour décongeler des darnes de poisson)	Vol. 5	**p. 89**
Décongélation du poisson (Pour décongeler des filets d'aiglefin)	Vol. 5	**p. 97**
Décongélation du poulet désossé (La)	Vol. 7	**p. 15**
Décongélation et cuisson (Pour une décongélation et une cuisson uniformes des cubes)	Vol. 8	**p. 41**
Décongélation et cuisson réunies	Vol. 1	**p. 22**
Décongélation et réchauffage réunis	Vol. 17	**p. 65**
Décongélation réussie (Pour une)	Vol. 2	**p. 30**
Décongeler (Congeler mieux pour mieux)	Vol. 14	**p. 105**
Décongeler (Pour — vos biftecks hachés)	Vol. 8	**p. 31**
Décongeler (Pour congeler et — le fromage)	Vol. 16	**p. 105**
Décongeler de petites portions (Pour)	Vol. 22	**p. 93**
Décongeler des poitrines de poulet (Comment)	Vol. 23	**p. 85**
Décongeler la moitié d'un paquet de légumes (Comment)	Vol. 10	**p. 67**
Décongeler la volaille (Pour bien)	Vol. 11	**p. 30**
Décongeler les biftecks (Pour)	Vol. 8	**p. 49**
Décongeler les cuisses de poulet (Pour)	Vol. 2	**p. 95**
Décongeler les poitrines (Pour)	Vol. 2	**p. 18**
Décortiquer les crevettes fraîches (Pour)	Vol. 6	**p. 35**
Découpage des aliments à l'orientale (Le)	Vol. 24	**p. 71**
Déglaçage (Le)	Vol. 11	**p. 14**
Déglaçage (Une variante du)	Vol. 11	**p. 32**
Dégraisser la viande hachée (Comment)	Vol. 10	**p. 73**
Démouler un dessert glacé (Pour)	Vol. 3	**p. 105**
Démouler un gâteau (Pour bien)	Vol. 9	**p. 63**
Dessert trop sucré (Pour améliorer un)	Vol. 9	**p. 61**
Desserts (Des — à peu de frais et à peu de calories)	Vol. 19	**p. 95**
Desserts (Pour des — encore plus nutritifs)	Vol. 21	**p. 79**
Disposition des boulettes pour la cuisson	Vol. 8	**p. 93**

E

Eau (Il faut boire de l') Vol. 19 **p. 60**
Eau minérale (L') Vol. 19 **p. 60**
Endives (Pour éviter que les —
noircissent à la cuisson) Vol. 13 **p. 91**
Épi (Pour ne pas mettre trop
de beurre sur ton) Vol. 20 **p. 36**

Épinards (Lavage des) Vol. 11 **p. 94**
Escargot (Pour retirer un bigorneau,
un buccin ou un — de sa coquille) Vol. 6 **p. 71**

F

Fondue (Pour une — bien chaude) Vol. 16 **p. 87**
Fraîcheur (Pour redonner
leur — aux aliments) Vol. 5 **p. 95**
Fromage cheddar Vol. 16 **p. 83**
Fromage (Comment servir le) Vol. 16 **p. 23**
Fromage (La conservation du) Vol. 16 **p. 23**
Fromage (Pour congeler et
décongeler le) Vol. 16 **p. 105**
Fromage (Pour disposer de
— râpé en tout temps) Vol. 12 **p. 60**
Fromage (Pour râper facilement le) Vol. 20 **p. 52**
Fromage (Pour râper le
— plus facilement) Vol. 15 **p. 22**
Fromage (Pour rendre la râpe
à fromage plus facile à laver) Vol. 15 **p. 59**
Fromage (Que dire des beignets
au brie ?) Vol. 16 **p. 71**
Fromage (Quel — choisir) Vol. 12 **p. 38**
Fromage (Sans beurre, sans sel
mais avec) Vol. 12 **p. 27**
Fromage (Soupe au fromage sans) Vol. 16 **p. 77**
Fromage et les pâtes (Le) Vol. 12 **p. 31**
Fromages (Pour profiter
pleinement des) Vol. 12 **p. 60**
Fruits (Pour décongeler les —
contenus dans des boîtes) Vol. 14 **p. 45**

Fruits (Pour décongeler les —
contenus dans un sac de plastique) Vol. 14 **p. 77**
Fruits de mer (Ces vins qui
accompagnent les) Vol. 6 **p. 105**
Fruits de mer (Les restes) Vol. 6 **p. 38**
Façonner des boules sans
difficulté (Pour) Vol. 20 **p. 90**
Farces (Les courgettes aiment
toutes sortes de) Vol. 15 **p. 38**
Farcir la volaille (Comment) Vol. 7 **p. 15**
Farcir un poisson entier (Comment) Vol. 5 **p. 13**
Fariner la viande (Pour) Vol. 8 **p. 59**
Fer (Pour une bonne dose de) Vol. 21 **p. 59**
Filets (Pour que les filets
ne cuisent pas dans leur jus) Vol. 5 **p. 63**
Fines herbes (Comment faire
sécher les) Vol. 10 **p. 73**
Fines herbes (Pour mieux
conserver les) Vol. 19 **p. 59**
Fines herbes (Pour profiter
des — au maximum) Vol. 10 **p. 91**
Flancs (Pour une cuisson
uniforme des) Vol. 16 **p. 93**
Foie de veau (La conservation du) Vol. 10 **p. 17**
Fonds (Les) Vol. 11 **p. 64**
Fumet de poisson (Soupe) Vol. 11 **p. 78**

G

Gâteau (La conversion d'une recette
de — pour le four traditionnel) — Vol. 9 **p. 105**
Gâteau (Ne pas trop pétrir la pâte d'un) — Vol. 9 **p. 67**
Gâteau (Pour bien cuire la pâte d'un) — Vol. 9 **p. 33**
Gâteaux (Pour faire lever les) — Vol. 3 **p. 50**
Gâteaux (Pour réussir des — préparés
à partir d'un mélange) — Vol. 3 **p. 59**
Gâteaux (Pour réussir les) — Vol. 3 **p. 48**
Gâteaux (Pour une cuisson
uniforme des) — Vol. 3 **p. 64**
Gâteaux (Pour vérifier la cuisson des) — Vol. 1 **p. 105**
Gibier (Barder le — et
mariner la viande) — Vol. 17 **p. 69**
Gibier (Pour une cuisson uniforme du) — Vol. 17 **p. 38**
Glacer facilement un rôti
de veau (Pour) — Vol. 10 **p. 57**
Glacer une tranche de jambon (Pour) — Vol. 4 **p. 44**
Glaces sucrées (Les) — Vol. 4 **p. 38**
Gras (Comment recueillir les —
et les sucs) — Vol. 4 **p. 93**

H

Haricots et cie... — Vol. 21 **p. 12**
Herbes (Des — fraîches cultivées
dans la maison) — Vol. 15 **p. 95**
Historier les fruits et
les légumes (Pour) — Vol. 15 **p. 63**
Homard (Pour extraire la chair du) — Vol. 23 **p. 95**
Homard (Pour tuer le) — Vol. 6 **p. 23**
Huître (Pour ouvrir une) — Vol. 18 **p. 63**

Jambon (Boulettes de) — Vol. 21 **p. 69**
Jambon (Comment cuire et glacer
une tranche de) — Vol. 23 **p. 53**
Jambon (La cuisson d'une tranche de) — Vol. 4 **p. 63**
Jambon (Pour glacer une tranche de) — Vol. 4 **p. 44**

L

Lait (Pour décorer un verre de) — Vol. 20 **p. 82**
Lait au chocolat différent
(Pour faire un) — Vol. 20 **p. 97**
Laitue (Taillée en julienne) — Vol. 13 **p. 104**
Lavage des épinards — Vol. 11 **p. 94**
Légumes (Comment cuire le riz ou
les — dans un plat sans couvercle) — Vol. 18 **p. 54**
Légumes (Comment décongeler
la moitié d'un paquet de) — Vol. 10 **p. 67**
Légumes (Conseils pratiques
pour la cuisson des) — Vol. 5 **p. 57**
Légumes (Crus) — Vol. 14 **p. 87**
Légumes (La conservation des
valeurs nutritives des) — Vol. 19 **p. 45**
Légumes (La cuisson des) — Vol. 1 **p. 27**
Légumes (Le blanchiment rapide des) — Vol. 22 **p. 82**
Légumes (Le temps de cuisson
des — blanchis) — Vol. 14 **p. 89**
Légumes (Pour bien choisir
les — à blanchir) — Vol. 14 **p. 89**
Légumes (Pour conserver
aux — leurs vitamines) — Vol. 21 **p. 16**
Légumes (Pour décongeler de
petites portions de) — Vol. 13 **p. 79**
Légumes (Pour déterminer le temps
de cuisson de plusieurs) — Vol. 13 **p. 29**
Légumes (Pour que les — ne
se déshydratent pas et
restent savoureux) — Vol. 15 **p. 79**
Légumes (Pour réussir
le blanchiment des) — Vol. 14 **p. 31**
Légumes (Pour une cuisson
parfaite des) — Vol. 13 **p. 25**
Légumes (Pour une cuisson
uniforme des) — Vol. 2 **p. 33**
Légumes d'accompagnement
(Bouquet garni et les) — Vol. 17 **p. 61**
Légumes fermes (Comment
accélérer la cuisson des) — Vol. 14 **p. 47**
Légumes surgelés (Cuisson des) — Vol. 25 **p. 88**
Légumes surgelés (L'utilisation des) — Vol. 25 **p. 88**
Légumes surgelés (Pour une
préparation encore plus rapide des) — Vol. 13 **p. 65**
Légumineuses (Les — de chez nous) — Vol. 21 **p. 19**
Lentilles (Les) — Vol. 19 **p. 18**
Liants (Les) — Vol. 11 **p. 15**
Liste d'épicerie (Comment faire
une — infaillible) — Vol. 14 **p. 73**

M

Macération des coupes moins tendres	Vol. 1	p. 25
Maïs (Connais-tu bien le)	Vol. 20	p. 39
Marinade (Pour réutiliser ta)	Vol. 20	p. 59
Mariner la viande (Barder le gibier et)	Vol. 17	p. 69
Mariner les pièces de veau ou d'agneau (Pour bien)	Vol. 10	p. 105
Mesurer facilement les corps gras (Pour)	Vol. 9	p. 37
Mesurer les ingrédients liquides avec précision (Pour)	Vol. 20	p. 72
Micro-ondes (L'action des — et les liquides)	Vol. 5	p. 24
Micro-ondes et métal ne font pas bon ménage	Vol. 5	p. 25
Mollusques (Comment servir les)	Vol. 6	p. 22
Mollusques (La congélation et la décongélation des)	Vol. 6	p. 19
Moule (Quand on n'a pas de — tubulaire)	Vol. 5	p. 37
Moule tubulaire (Un plat idéal : le)	Vol. 16	p. 77
Moules (La cuisson des)	Vol. 15	p. 26
Moules (Pour retirer le filament des)	Vol. 6	p. 21
Mousses (Pour faire les meilleures — qui soient)	Vol. 9	p. 81
Mousses (Pour toujours réussir ses)	Vol. 25	p. 91
Muffins santé (Pour des)	Vol. 19	p. 91

O

Odeurs de cuisson (Pour faire disparaître toutes — du four)	Vol. 1	p. 55
Œuf (Pour donner plus de volume à un blanc d')	Vol. 9	p. 67
Œuf (Sortir l'— de sa coquille)	Vol. 20	p. 44
Œufs (Comment évaluer la fraîcheur des)	Vol. 23	p. 35
Œufs (Des — à la température ambiante)	Vol. 16	p. 14
Œufs (Des — plein les yeux !)	Vol. 20	p. 47
Œufs (Pour des — durs sans cernes)	Vol. 14	p. 45
Œufs (Pour empêcher le durcissement des jaunes)	Vol. 16	p. 15
Œufs (Pour faire mousser des blancs d')	Vol. 16	p. 26
Œufs (Pour mieux conserver les)	Vol. 23	p. 25
Œufs (Pour ne pas briser les jaunes d')	Vol. 20	p. 64
Œufs à la coque (Attention aux)	Vol. 16	p. 15
Œufs brouillés	Vol. 16	p. 47
Œufs en ramequin... sans ramequin (Les)	Vol. 16	p. 54
Œufs pochés (Temps de cuisson des œufs pochés)	Vol. 16	p. 77
Oignon (Pour mieux profiter de l')	Vol. 15	p. 60
Omelette (Pour obenir une belle)	Vol. 16	p. 38
Omelette aux fruits (Pour une succulente)	Vol. 16	p. 47
Oranges (Pour conserver aux — leurs vitamines)	Vol. 19	p. 68
Ouvrir les pots plus facilement (Pour)	Vol. 15	p. 97

N

Nettoyage des champignons (Le)	Vol. 11	p. 91
Noix (Pour écaler des)	Vol. 3	p. 14
Noix de coco (Comment disposer d'une)	Vol. 18	p. 91
Noix de coco dans les soupes froides (L'usage de la)	Vol. 11	p. 102

P

Pain (La cuisson du)	Vol. 3	p. 37
Pain (Pour décongeler le pain)	Vol. 13	p. 95
Pain (Pour réussir le)	Vol. 3	p. 31
Pain de viande (Pour vérifier la cuisson d'un)	Vol. 4	p. 97
Pain sans levain (Pour réussir le)	Vol. 9	p. 21
Pains (Pour réchauffer des petits)	Vol. 4	p. 65
Pains de viande (La congélation des)	Vol. 1	p. 85
Panure (Les types de)	Vol. 5	p. 47
Papier d'aluminium (Le — : compagnon indispensable)	Vol. 16	p. 97
Pâtes (Colorez vos)	Vol. 19	p. 52
Pâtes (La congélation des)	Vol. 14	p. 38
Pâtes (La cuisson et le réchauffage des)	Vol. 11	p. 44
Pâtes (Les — se suivent mais ne se ressemblent pas)	Vol. 21	p. 83
Peau croustillante (Pour une)	Vol. 2	p. 79
Peau sans texture humide (Pour obtenir une)	Vol. 2	p. 63
Peler des gousses d'ail sans difficulté (Pour)	Vol. 1	p. 59
Peler les pommes (Pour)	Vol. 20	p. 78
Peler les tomates (Pour)	Vol. 25	p. 43
Persil frais (Comment utiliser le — qu'on a en trop)	Vol. 15	p. 29
Pétoncles (L'achat des)	Vol. 6	p. 19
Pétoncles (Pour bien choisir ses)	Vol. 21	p. 79
Pilons (La congélations des — panés)	Vol. 7	p. 73
Pizza (Une — sans pâte)	Vol. 16	p. 91
Plat à rôtir (Le)	Vol. 1	p. 37
Plum-pudding : une tradition bien britannique (Le)	Vol. 24	p. 55
Poche à douille	Vol. 19	p. 85
Poire (Pour empêcher l'oxydation de la)	Vol. 21	p. 91
Poireau (Comment nettoyer un)	Vol. 23	p. 55
Poireaux (Savoir choisir ses)	Vol. 22	p. 89
Poisson (Pour décongeler des bâtonnets de — surgelés)	Vol. 5	p. 71
Poisson (Bien cuire le — pour ne pas altérer sa chair délicate)	Vol. 5	p. 23
Poisson (Comment farcir un — entier)	Vol. 5	p. 13
Poisson (Ne pas trop cuire le)	Vol. 5	p. 65
Poisson (Pour décongeler des darnes de)	Vol. 5	p. 89
Poisson (Pour saisir le)	Vol. 5	p. 41
Poisson (Pour utiliser les restes de)	Vol. 6	p. 52

Poisson frais (Conservation du)	Vol. 5	p. 31
Poissons (Pour bien réussir la cuisson des)	Vol. 11	p. 20
Poivron vert (Le)	Vol. 8	p. 79
Pommes (Pour peler les)	Vol. 20	p. 78
Pommes de terre (Pour des — cuites à point)	Vol. 13	p. 38
Pommes de terre (Pour savoir si les — sont cuites)	Vol. 20	p. 28
Porc (Pour vérifier la cuisson du)	Vol. 4	p. 95
Porc (Une autre façon d'apprêter les côtelettes de)	Vol. 4	p. 54
Pot-au-feu de la Nouvelle-Angleterre	Vol. 24	p. 95
Poudings (Pour réussir les — préparés à partir d'un mélange)	Vol. 3	p. 77
Poulet (Comment décongeler des poitrines de)	Vol. 23	p. 85
Poulet (La décongélation des cuisses de)	Vol. 7	p. 95
Poulet (La décongélation des morceaux de)	Vol. 7	p. 17
Poulet (La décongélation du — désossé)	Vol. 7	p. 15
Poulet (Pour attendrir la chair du)	Vol. 7	p. 87
Poulet (Pour décongeler les cuisses de)	Vol. 2	p. 95
Poulet (Pour obtenir du — croustillant)	Vol. 7	p. 87
Poulet (Pour que le — soit vraiment tendre)	Vol. 2	p. 94
Poulet entier (Pour réussir la cuisson d'un)	Vol. 2	p. 22

R

Ramollir le beurre au four (Pour faire) Vol. 4 **p. 97**
Râpe à fromage (Pour rendre la —
plus facile à laver) Vol. 15 **p. 59**
Râper facilement le fromage (Pour) Vol. 20 **p. 52**
Râper le chocolat aisément (Pour) Vol. 9 **p. 89**
Rassir le pain pour les poudings (Faire) Vol. 9 **p. 59**
Réception (Pour maintenir ou
augmenter l'excellence de ses) Vol. 25 **p. 12**
Réchauffage (Décongélation
et — réunis) Vol. 17 **p. 65**
Réchauffage (La cuisson et
le — des pâtes) Vol. 11 **p. 44**
Réchauffage (Le) Vol. 2 **p. 27**
Réchauffage de petites portions (Le) Vol. 22 **p. 37**
Réchauffer des petits pains (Pour) Vol. 4 **p. 65**
Réchauffer (Pour — des aliments qui
ne peuvent être remués Vol. 13 **p.97**
Réduire une recette (Pour) Vol. 2 **p. 29**
Refroidir sans tarder Vol. 7 **p. 19**
Régime (Pour les personnes au) Vol. 16 **p. 65**
Remplir (Pour — un contenant
à petit goulot) Vol. 14 **p. 49**
Repas-minute en quelques
secondes (Pour un) Vol. 13 **p. 52**
Reste de café (Pour réchauffer un) Vol. 6 **p. 87**
Restes de fruits de mer Vol. 6 **p. 38**
Reste de riz (Congélation et
décongélation d'un) Vol. 12 **p. 77**
Reste de riz (Une soupe pour
disposer d'un) Vol. 12 **p. 73**
Restes (Pour réchauffer les) Vol. 4 **p. 81**
Restes de poisson (Pour utiliser les) Vol. 6 **p. 52**
Restes de sauces (Des — pour
faire des sauces) Vol. 18 **p. 69**
Restes de volaille (Les) Vol. 7 **p. 19**
Risotto (Pour réussir le) Vol. 12 **p. 91**
Riz (Comment congeler le — et
l'utiliser dans une soupe) Vol. 11 **p. 84**
Riz (Comment cuire le — ou
les légumes dans un plat
sans couvercle) Vol. 18 **p. 54**
Riz (Congélation et décongélation
d'un reste de —) Vol. 12 **p. 77**
Riz (Du — blanc, brun ou semi-cuit) Vol. 19 **p. 63**
Riz (La cuisson du —
au four à micro-ondes) Vol. 18 **p. 59**
Riz (Le — cuit: plus gros que le — cru) Vol. 20 **p. 43**
Riz (Le temps de cuisson du) Vol. 12 **p. 69**
Riz (Le) Vol. 19 **p. 47**
Riz (Pour cuire du — à
long grain aux micro-ondes) Vol. 5 **p. 105**
Riz (Pour faire du bon) Vol. 20 **p. 40**
Riz (Pour que les grains
de — se séparent bien) Vol. 12 **p. 79**
Riz (Pour réussir les galettes
et les plats de — moulés) Vol. 12 **p. 81**
Riz (Quel — choisir?) Vol. 18 **p. 60**
Riz (Une soupe pour disposer
d'un reste de) Vol. 12 **p. 73**
Riz à l'orange (Du — en un
rien de temps) Vol. 12 **p. 93**
Riz au jus de légumes (Du) Vol. 12 **p. 93**
Riz au safran (Le) Vol. 12 **p. 105**
Riz aux tomates (Du — vite fait) Vol. 12 **p. 93**
Riz instantané (Le — :
de quel riz s'agit-il?) Vol. 18 **p. 81**
Rôtissage (Pour un — réussi) Vol. 17 **p. 25**
Roux (Les) Vol. 11 **p. 70**

S

Sac à cuisson (Le) Vol. 2 **p. 21**
Safran (Pâtes maison) Vol. 12 **p. 57**
Sauce chili (maison) Vol. 16 **p. 104**
Sauce (Choisir la — appropriée) Vol. 5 **p. 49**
Sauce (Comment rattraper une) Vol. 11 **p. 48**
Sauce (Pour une — onctueuse) Vol. 15 **p. 24**
Sauce à spaghetti (Pour faire
une — moins grasse) Vol. 10 **p. 52**
Sauce ailloli (La) Vol. 6 **p. 44**
Sauce barbecue (Pour préparer
une délicieuse) Vol. 7 **p. 54**
Sauces (Aliments qu'elles
accompagnent) Vol. 15 **p. 77**

S

Sauces (Comment bien réussir : les)	Vol. 11 **p. 50**
Sauces (Dames de compagnie : les)	Vol. 17 **p. 55**
Sauces (Des restes de sauce pour faire des)	Vol. 18 **p. 69**
Sauces (Pour rehausser la saveur des)	Vol. 11 **p. 54**
Sauces classiques pour accompagner l'agneau (Deux)	Vol. 10 **p. 89**
Saveur (Pour protéger la saveur de certains fruits)	Vol. 9 **p. 55**
Saveurs (L'heureux mariage des)	Vol. 6 **p. 79**
Sel (À propos du)	Vol. 7 **p. 97**
Sel caché (Le)	Vol. 19 **p. 61**
Sirop (Réduire un)	Vol. 9 **p. 67**
Smörgasbord (Le)	Vol. 24 **p. 89**
Sonde thermique (Comment cuisiner avec la)	Vol. 1 **p. 44**
Soupe aux micro-ondes et la soupe traditionnelle (La)	Vol. 11 **p. 72**
Soupes maisons rapides (Les)	Vol. 11 **p. 88**
Substitutions (Les)	Vol. 3 **p. 73**
Sucre (Attention au)	Vol. 9 **p. 51**
Sucre masqué (Le)	Vol. 19 **p. 61**
Surcuisson des biscuits (Pour éviter la)	Vol. 3 **p. 27**

T

Taches d'aliments (Comment enlever les)	Vol. 17 **p. 77**
Technologie à votre secours (La)	Vol. 16 **p. 65**
Température des aliments à cuire	Vol. 22 **p. 59**
Thermomètre (Le)	Vol. 22 **p. 60**
Timbale (Les possibilités qu'offre la)	Vol. 23 **p. 45**
Tofu (Le)	Vol. 19 **p. 61**
Tomates (À propos des)	Vol. 21 **p. 41**
Tomates (Pour peler les — sans problèmes)	Vol. 8 **p. 71**
Trempettes (Des — en un instant)	Vol. 16 **p. 87**

U

Ustensiles (L'usage des — et des appareils électroménagers)	Vol. 14 **p. 97**

V

Veau (Aplatir les escalopes de)	Vol. 10 **p. 51**
Veau (L'art de barder un rôti de)	Vol. 10 **p. 49**
Veau (Le rôti d'épaule : le meilleur choix)	Vol. 10 **p. 57**
Veau (Pour bien mariner les pièces de — ou d'agneau)	Vol. 10 **p. 105**
Veau (Pour glacer facilement un rôti de)	Vol. 10 **p. 57**
Vérification de la cuisson	Vol. 2 **p. 105**
Vérifier la cuisson d'un pain de viande (Pour)	Vol. 10 **p. 97**
Viande hachée ne colle pas aux doigts (Pour que la)	Vol. 10 **p. 97**
Vichyssoise (Quelques mots au sujet de la)	Vol. 11 **p. 105**
Vins d'accompagnement (Les)	Vol. 22 **p. 107**
Volaille (Comment farcir la)	Vol. 7 **p. 15**
Volaille (Cuisson des morceaux de)	Vol. 7 **p. 19**
Volaille (Les restes de)	Vol. 7 **p. 19**
Volaille (Pour bien décongeler la)	Vol. 11 **p. 30**
Volaille (Pour bien réussir la cuisson de la)	Vol. 11 **p. 68**
Volaille (Pour décongeler les poitrines)	Vol. 2 **p. 18**
Volaille (Séparer la chair en fonction des usages futurs)	Vol. 7 **p. 19**
Volaille entière (Décongélation d'une —)	Vol. 2 **p. 19**
Volaille moins grasse (Pour une)	Vol. 2 **p. 22**
Volaille succulente (Pour une)	Vol. 7 **p. 31**

Ont collaboré à la Grande Collection Micro-Ondes :

Choix de recettes et assistance technique :
École de cuisine Bachand-Bissonnette
Conseillers culinaires :
Michèle Émond, Denis Bissonnette
Diététiste :
Christiane Barbeau
Photos :
Laramée Morel Communications
Audio-Visuelles
Assisté de : Robert Légaré
Julie Léger
Pierre Tison
Alain Bosman
Stylisme :
Claudette Taillefer
Adjoints : Anne Gagné
Nathalie Deslauriers
Sylvain Lavoie
Accessoiriste : Andrée Cournoyer
Rédaction : Communications
La Griffe Inc.
Révision des textes : Cap et bc inc.
Typographie :
Monique Magnan
Montage : Marc Vallières
Vital Lapalme
Carole Garon
Jean-Pierre Larose
Daniel Pelletier

Directeur de la production :
Gilles Chamberland
Illustrateur :
Luc Métivier
**Directeur artistique
et responsable du projet :**
Bernard Lamy
Conseillers spéciaux :
Roger Aubin
Joseph R. De Varennes
Gaston Lavoie
Kenneth H. Pearson
Réalisation :
Le Groupe Polygone Éditeurs Inc.

Les éditeurs de la Grande Collection Micro-Ondes considèrent que les informations qu'elle contient sont exactes. Toutefois, la publication de l'ouvrage n'entraîne aucune garantie quant aux résultats des préparations culinaires. De plus, les éditeurs n'assument aucune responsabilité concernant l'usage des recommandations et indications données.

Nous remercions les maisons PIER 1 IMPORTS et LE CACHE POT de leur participation à l'illustration de cette encyclopédie.